명상록

인문학 클래식 6

명상록

마르쿠스 아우렐리우스

김동훈 옮김

민음사

일러두기

1   이 책의 대본으로 Marcus Aurelius Antoninus the
    Emperor, 『TO HIMSELF』(edited and translated by C. R.
    Haines, Harvard University Press, 1916)와 C. R. Haines,
    A. S. L. Farquhason, 『THE MEDITATIONS OF THE
    EMPEROR MARCUS ANTONINUS』(Oxford World's
    Classics, 1998)의 그리스어 편집본 및 주석을 참고했다.

2   원제가 "자신에게로"(타 에이스 헤아우톤, Τὰ εἰς ἑαυτὸν)이다. 아우
    렐레우스는 자신과 대화하는 형식으로 글을 썼다. 이때 자신은 '또 다
    른 나'(ἄλλος αὐτός, alter ego)로서 자신 속에 있는 얼(δαίμων,
    신령)을 지칭한다. 그리스어에는 존대어가 없지만 우리의 언어 습관
    으로 보자면 아마도 존대어를 썼을 것으로 추측되어 2~12권까지는
    존대어로 옮겼다.
    반면 맨 마지막에 기록한 것으로 추정되는 1권은 자신에게 한 대화
    라기보다는, 일종의 게시글 성격을 갖기 때문에 존댓말로 옮기지 않
    았다.

프롤로그

새로운 시작

『명상록』은 로마 황제 마르쿠스 아우렐리우스가 그리스어로 자기 자신에게 쓴 글이다. 그래서 본래 제목도 "자신에게로"(타 에이스 헤아우톤, Τὰ εἰς ἑαυτὸν)이다. 삶을 개선하려던 사람들 사이에서 오랜 세월 큰 반향을 불러일으켰기에 지금껏 상당한 독자층을 거느리고 있다. 제목에서 알 수 있듯 이 책은 "당신 자신에서부터 시작하고 우선 당신 자신부터 검토"(10권 37)하라고 권면한다. 그렇게 해야 할 이유는 아마도 이것이다.

인생은 투쟁이자 잠시뿐인 타향살이, 떨치던 명성은 후세에 그칩니다. (2권 17)

인생에 대한 깨달음이 하나쯤 있다면 무어라 말할까? 황제가 된 이후 줄곧 전장에 나가 있기 일쑤였던 아우렐리우스에게 인생은 전쟁과 별반 다르지 않았다. 전쟁에서 살아남기 위해 기술이 필요하듯 그는 인생에서도 기술이 필요함을 깨달았다.

인생 기술 훈련서

인생 기술이란 춤보다 씨름에 더 가깝습니다. (7권 61)

씨름꾼이 기술을 습득하기 위해서 훈련하듯 '인생 기술'을 습득하기 위해서도 훈련이 필요하다고 한다. 이 책은 곳곳에서 훈련할 것을 제안한다. 한편으로는 깨우침이나 감각이 점점 둔해지거나 심지어 그 둔감한 상태를 즐기게 될 때, 또 다른 한편으로는 무엇인가에 절망하여 성취하려는 의욕이 사라질 때 훈련해야 한다.

당신의 우둔함을 내버려 두거나 즐기지는 마십시오. 자신을 훈련하십시오. (5권 5)

가장 절망적일 때도 성취하려는 일에 익숙해지도록

훈련하십시오. (12권 6)

조종사, 운동선수, 연극배우, 무용수, 성악 가수 등 특정 영역의 사람들은 몸에 전문 능력이 배도록 하기 위해서 꾸준히 훈련한다. 그렇다고 무작정 열심히 하는 것이 아니라 훈련 목표에 대한 정확한 청사진을 갖고서 훈련한다. 이를테면 조종사는 비행기의 조종석과 거의 동일한 시뮬레이션 공간 속에서 훈련을 한다. 운동선수는 신체의 근육 구조를 염두에 두고 특정 근육이 가장 큰 힘을 받아 단련되도록 정확한 자극을 주는 훈련을 반복한다.

각 영역의 전문가들은 훈련을 통해 상황을 관찰하고 적합한 행동을 선택하는 결정력을 강화한다. 그런데 이 훈련이 생각처럼 제대로 되지는 않는다. 그래서 훈련을 관리해 주는 트레이너가 필요하다. 좋은 트레이너는 훈련생에게 전문 기술에 익숙해지도록 필요한 훈련 과정을 효율적으로 제시하고 이끈다.

철학, 선택, 관리

이 책은 모두 열두 권으로 구성되어 우리에게 수많은 명문들을 선보인다. 하지만 안타깝게도 그 문장들이 각 권에 산만하게 흩어져 있거나 서로 얽혀 있어서 그 골자를 놓치기 딱

십상이다.

검불덤불 꼬여 헝클어진 문장의 실타래를 가지런히 풀어 같은 빛깔끼리 실패에 감아보니 바로 '철학 훈련', '선택 훈련', '관리 훈련'이라는 범주로 나뉜다. 철학 훈련 글줄은 읽는 이에게 관찰력을, 선택 훈련 글줄은 결단력을, 관리 훈련 글줄은 절제력을 기르게 하거나 갖추게 한다.

1권은 아우렐리우스에게 본보기가 되었던 인물들을 보여준다. 2권부터 12권까지는 주로 전투 와중에 생각나는 대로 써두었던 글들이기에 주제가 다양하게 펼쳐진다. 하지만 복잡한 주제들을 훈련이라는 시각에서 바라보면 얼추 2권은 철학 훈련(관찰력), 3권은 선택 훈련(결단력), 4권은 선택의 '보류 조건', 5권은 결단의 장애물, 6권은 마음 관찰, 7권은 관리 훈련(절제력), 8권은 현재의 시간 관리, 9권은 선택의 자유, 10권은 죽음 관리와 운명의 사랑, 11권은 '무관함'에 대한 관찰, 12권은 휴식 관리를 주로 말하고 있다.

『명상록』은 무턱대고 읽으면 따분한 책일 수 있다. 하지만 철학 훈련, 선택 훈련, 관리 훈련이라는 큰 청사진을 갖고 각 권의 주제를 들여다보면, 독자들은 새로운 삶을 시작하는 즐거움을 곧 느끼게 될 것이다.

우리의 삶은 개인의 자발적 훈련과 거기서 연마된 관찰

력, 결단력, 절제력으로 개선될 수 있다. 우리는 관찰을 통해 더 나은 결단을 내리고, 나아가 자신과 자신의 주변을 지속적으로 관리해야 한다. 훈련생은 트레이너의 훈련 프로그램에 맞춰 꾸준히 노력할 때 그 기술을 익힐 수 있다. "의사가 응급상황에 대비해 도구와 메스를 늘 곁에 두듯"(3권 13), 명상록을 곁에 두자. 자, 그러면 이제 '인생 기술' 훈련을 시작해 보자.

김동훈

차례

1권 본보기

1. 할아버지[1] 덕택에 성내지 않는 좋은 습관을 익혔네.

2. 친아버지[2]의 평판과 그분에 대한 사람들의 기억 덕택에 염치와 사내다움을 배웠고,

3. 어머니[3] 덕택에 경건하면서도 관용 있는 태도와 나쁜 짓은 생각조차 버려야 함을 알게 되었고, 그뿐 아니라 부자들이 벌이는 헛돈질을 멀리하는 소박한 삶도 알게 되었네.

4. 어머니의 할아버지[4] 덕택에 대중강연장에는 얼씬거리

---

1   안토니우스 베루스(Antonius Verus).

2   원문은 '낳으신 이'로 되어 있다. 친아버지가 일찍 세상을 떠나 아우렐리우스는 외할아버지 집에서 성장했다.

3   안니우스 베루스(Annius Verus).

4   외증조부인 카틸리우스 세베루스(L. Catilius Severus).

지도 말고 집에 좋은 스승을 모실 것, 그리고 이런 일에는 돈을 주저 없이 크게 쓸 줄 알아야 한다는 것도 배웠네.

5. 선생님 덕택에 (경기에서) 청군이나 백군, (검투사 결투에서) 둥근 방패팀이나 각진 방패팀 중 어느 한 편을 응원하지 말 것, 고생을 견디고 욕망을 줄이며 내 손으로 일하되, 남의 일에 참견하지도 말고 나를 향한 비방에도 신경 쓰지 말 것을 깨달았네.

6. 디오그네토스[5] 덕택에 헛일에 골몰하지 말 것, 구마(驅魔) 의식을 치른다는 마법사와 요술사들의 주술을 믿지 말 것, (내기를 위해) 메추리를 기르거나 그런 류의 일에 몰두하지 말 것, 그리고 다른 이의 솔직한 말은 받아들이고, 철학을 가까이 하되 먼저 바키우스,[6] 그다음에 탄다시스[7]와 마르키아누스[8]의 말을 따를 것, 또한 어릴 때부터 대화체 글[9]을 쓰고, 가죽만 두른 소박한 침구가 있는 엄격한 생활방식[10]을 열심히 따를 것을

---

5   디오그네토스(Diogenetus)는 아우렐리우스에게 처음으로 스토아 철학을 일깨워
     준 철학자이자 화가이다.
6   바키우스(Bacchius)에 대해서는 전해지는 바가 없다.
7   탄다시스(Tandasis)에 대해서는 전해지는 바가 없다.
8   마르키아누스(Marcianus)는 법률학자였던 것으로 추정된다.
9   대화체 글은 플라톤이 철학 이론을 설명하는 데 사용한 방법이다. 대화체 글은 무미
     건조한 이론을 쉽게 설명할 수 있었고 대화자들의 서로 다른 관점을 관찰하도록 한
     다. 그뿐만 아니라 철학 이론을 일상에서 사용하는 언어로 표현하여 일상에서 벌어
     지는 일을 성찰할 수 있도록 했다. 아우렐리우스는 자신과의 대화체 글을 썼다.

배웠네.

　7. 루스티쿠스[11] 덕택에 됨됨이를 바로잡아 나아지려고 마음 쓸 것, 소피스트적인 열정에 빠지지 말 것,[12] 순전히 이론적인 문제만을 위해 글을 쓰지 말 것, 아양 떠는 말을 하지 말 것, 자신의 금욕이나 선행을 드러내어 뽐내지 말 것, 그리고 미사여구만 있는 수사학적 표현을 삼갈 것, 집에선 화려하게[13] 입지 말고 그런 식의 과한 행동도 하지 말 것, 편지는 루스티쿠스가 시눼사[14]에서 우리 어머님께 보낸 것처럼 담백하게 쓸 것, 나에게 흠이 잡혀 심기를 흩트리는 자라도 이전 관계로 속히 돌아가길 원하면 흔쾌히 화해할 것, 책은 대충 이해하고 만족하지 말고 정확하게 탐독할 것, 급하게 이리저리 말을 바꾸며 얼버무리는 자들을 옳다 하지 말 것, 그리고 루스티쿠스가 집에서 건네주었던 에픽테토스[15]의 『담화』를 읽어야 한다는 것을 깨

10　원문은 '그리스 방식'으로 되어 있다. 스파르타인이나 스토아 금욕주의자들의 생활 방식을 말한다.

11　루스티쿠스(Q. Junius Rusticus)는 아우렐리우스의 친구이자, 아우렐리우스에게 법률을 가르쳤던 스토아 철학자이다.

12　『고르기아스』, 『파이드로스』에서 플라톤은 소피스트들이 가진 방식을 아첨술로 폄하한다. 특히 『고르기아스』를 보면, 소피스트들은 수사학을 강조하는 반면, 소크라테스는 그런 수사학은 참된 지식을 전달할 수 없다고 논박한다. 소피스트들은 거짓이나 가상을 참이나 진상인 것처럼 보이게 했기 때문이다. 아우렐리우스의 친구였던 루스티쿠스는 플라톤이 부정적으로 생각한 소피스트를 염두에 둔 것 같다.

13　원문은 '예복 차림'을 말한다.

14　시눼사(Sinuessa)는 라티움 지방 남단의 해변 도시이다.

달았네.

8. 아폴로니오스[16] 덕택에 자유로울 것과 요행을 바라고 머뭇대지 말 것, 이성으로 따지기만 할 뿐 사소한 것들은 쳐다보지 말 것, 깊은 근심에 싸여 있거나 자식을 잃었거나 긴 병고를 겪는 중에도 한결같을 것, 그리고 주변을 몹시 다그치던 사람이 또한 한없이 부드러울 수도 있음을 그분의 경우를 통해서 분명히 깨달았네.

그분은 설명을 까다롭지 않게 하고 이론을 가르치더라도 다양한 경험과 대화술[17]을 활용하지만, 이 재능을 자신의 재능 중에서 가장 하찮게 여긴다는 것을 알 수 있었네. 친구들의 그럴싸한 선물에 들뜨지 않고, 또 눈치 없이 그냥 넘어가지 않으면서 그 선물을 어떻게 받아들여야 하는지를 배웠네.

9. 섹스토스[18] 덕택에 호의를, 가정을 다스리는 가장의 본분을, 자연에 순응하며 산다는 것의 의미를, 가식적이지 않은 경건을, 친구들을 헤아리는 배려를, 무지하거나 허황된 의견을 말하는 자들을 참아내는 법도 배웠네.

---

15   그리스 출신의 스토아 철학자.

16   칼케돈 출신의 스토아 철학자.

17   파커슨(A. S. L. Farquharson)의 주해에서 이 기술을 특히 '변증법적 기술'로 설명한다. p. 449.

18   카이로네아 출신으로 플루타르크의 조카나 손자였으며, 아우렐리우스에게 철학을 가르쳤다.

사람들이 더 깊은 친분을 맺고 싶은 마음에 끌려 그의 곁에 있으면서 아첨하기보다는 가장 큰 존경을 보내는 이유는, 그가 모든 자와 화목하며 인생에 필요한 원칙들을 신속하게 발견하고 체계적으로 정리했기 때문임을 깨달았네.

분노나 다른 어떤 감정을 드러내지 않고 감정에 완전히 사로잡히지 않으면서도 동시에 다정할 수 있는 태도, 그리고 떠들썩하지 않게 하는 칭찬과 과시하지 않는 박식함을 배웠네.

10. 문법교사 알렉산드로스 덕택에 상대를 헐뜯지 않는 태도를, 혹은 이색적으로든 파격적으로든 상대의 표현이 좀 어색해도 이를 트집 잡기보다는 중심 사안에 대해 대화하거나 답해 주고, 아무리 필요하다 해도 노골적으로 말하기보다 <u>끄</u>덕임이나 귀띔으로 에둘러 알려 줄 수 있음을 배웠네.

11. 프론토[19]는 권좌에 오른 자의 시기와 변덕, 그리고 허풍이 얼마나 대단한지와 우리가 명문가라 칭하는 자들이 대체로 무정하다는 것을 깨닫게 해주었네.

12. 플라톤 학파의 알렉산드로스[20]는 피치 못할 경우가 아니라면 누군가에게 "바쁘다."라고 편지하거나 말하지 말 것을, 또한 급한 일을 핑계로 이웃을 향한 소임을 잇따라 거절치 말

---

19 카토, 키케로, 퀸틸리아누스와 함께 로마의 유명한 웅변가이자 수사학자. 아우렐리우스를 가르쳤으며 평생 돈독한 우정을 나누었다.

20 철학자이며 아우렐리우스의 비서로 일했다.

것을 깨닫게 해주었지.

13. 카툴루스는 벗이 터무니없게 나무랄 때도 등한하지 말고 되레 우애를 만회하도록 힘쓸 것을, 그리고 도미티우스[21]와 아테노도토스[22]의 『회고록』에서 보듯이, 스승을 진심으로 칭송하고 자식을 진정으로 사랑해야 한다는 것을 알게 해주었네.

14. 사돈인 세베루스[23]는 가족, 진리, 정의를 사랑할 것을 가르쳤고, 트라세아, 헬비디우스, 카토, 디온, 브루투스[24]를 알게 해주었네. 나라는 형평성에 따라, 그러니까 법 앞의 평등과 표현의 자유에 따라 다스려져야 하고, 특히 나라님이 백성의 자유를 존중하도록 염원해야 하며, 한결같고 변함없이 철학을 숭상해야 한다는 것, 쉽게 선을 행하고 자주 베풀기를 좋아해야 한다는 것, 낙천적인 소망을 품어야 한다는 것, 벗들의 사랑을 확신하고 나를 비난하는 자들에게도 생각을 감추지 말며, 내가 무엇을 원하고 무엇을 싫어하는지 벗들이 억측하지 않도록 분명하게 밝혀야 한다는 것을 알게 해주었네.

15. 막시무스는 자신을 통제하고 변덕이 없어야 한다는 것, 병들었을 때를 포함하여 다른 어떤 상황에서도 활기를 잃

---

21 아우렐리우스의 외가 쪽 선조로 추측된다.
22 프론토의 스승으로 추측된다.
23 아우렐리우스와는 사돈 관계, 즉 이 사람의 아들이 아우렐리우스의 사위가 된다. 소요학파 철학자였다.
24 스토아 철학자. 아우렐리우스는 이 사람을 집정관으로 임명했다.

지 말아야 한다는 것, 온화한 성품에 친절과 위엄을 갖춰야 한다는 것, 소임은 불평 없이 이행해야 한다는 것을 알게 해주었네. 모든 이들이 그가 생각한 대로 말하고 악의 없이 행동한다고 믿는다는 것도 알게 되었다네.

놀라거나 두려워하지 말고, 서두르거나 망설이거나 당황하거나 낙심하거나 화가 나서 이를 악물거나 아양을 부리며 웃지도 말 것, 그리고 선행, 관용, 정직의 미덕을 깨닫게 했고, 고지식하다기보다는 흔들리지 않는 곧은 인상을 줘야 한다는 것을 알게 했네. 어느 누구도 그가 자신을 열등하게 보거나 자신보다 강한 사람을 우월하게 여긴다고 생각하지 않았으며 [……][25] 그를 유쾌하다고 느꼈다네.

16. 아버지[26]는 온유를, 그리고 신중해야 할 결정에서는 흔들리지 않는 인내로 판단할 것을, 명예를 탐하는 허세를 근절할 것을, 근면과 성실을 존귀하게 여길 것을, 공익을 위한 어떤 제안이든 경청할 것을, 각자의 성과에 공정할 것을, 어디서 엄격하고 어디서 너그러울지 몸소 체득할 것을 깨닫도록 하셨네.

그리고 어린 자들과의 동성애를 스스로 금하고 사람들과 어울리되, 함께 식사하고 어울리자고 친구들에게 부담을 주지

---

25 원문이 비어 있다.

26 마르쿠스의 양부였던 안토니누스 피우스 황제.

말 것, 피치 못할 일로 멀어져도 그들을 이해하고 한결같이 대할 것, 그리고 회의에서는 끈기를 갖고 정확하게 고려함으로써 첫인상에 만족해 검토를 멈추는 일이 없을 것, 친구들을 지켜주되 변덕이나 집착을 버리고 모든 면에서 자족하고 명랑할 것을 깨닫게 하셨네.

아무리 사소한 것에도 야단법석을 떨지 않고 선견지명으로 대비하고, 자신에 대한 칭송과 온갖 아첨에 대해서는 걸러 들으며, 늘 국사와 공적 자금을 살피되 이에 대한 비난을 참아낼 것, 그리고 종교와 관련해서는 미신에 겁먹지 말고, 사람과 관련해서는 대중의 비위를 맞추거나 비굴하게 아첨하지 말 것, 모든 일을 삼가고 심지가 굳을 것과 어디서든 풍류를 잊지 말되 유행에 급급하지 말 것을 알게 하셨네.

안락한 삶을 살도록 행운이 베푼 재물들을 과시하지는 않으나 주저 없이 사용하셨으니, 있으면 있는 대로 신경 쓰지 않고 취하고, 없으면 없다 하여 채우려 하지 않으셨다네. 어느 누구도 그분을 궤변가, 사기꾼, 현학자라 말하지 않았네. 오히려 모든 이가 아버지를 가리켜 원숙한 전인(全人)이고, 아부에 무관심하며, 자신뿐만 아니라 타인의 일도 제대로 처리할 줄 아는 분이라고 말했다는 사실을 알았네.

게다가 그분은 진정한 현인들을 가려 존경하되, 그 밖의 현인들에 대해서는 비난을 하지도 호락호락 당하지도 않으셨던 것, 상냥하고 재담이 있으셨지만 과하지 않으셨던 것, 목숨에 연연하지도, 외모를 신경 쓰지도 않으셨지만 그렇다고 무시하지도 않으셨고, 자신에게 집중해 몸을 적절히 돌보시어 의술이나 보약 및 고약도 거의 쓰지 않았다는 것을 보여주셨네.

특히 언변과 법률, 도덕, 기타 영역에 있어서 인재들을 시기하지 않고 인정하며 오히려 각자 탁월한 영역에서 이들이 명성을 떨치도록 도와준 것, 전통을 따르되 조상의 것을 애써 지키는 것처럼 보이지 않도록 처신하신 것을 알게 하셨네.

또한 그분은 들락날락하며 바람을 쐬기보다는 일정한 곳에서 한 가지 일에 집중하고, 골칫거리가 지나가면 곧 정신이 맑아져 하던 직무에 몰두하고, 비밀을 많이 갖지 말고 공적 업무라 해도 적게 맡고, 업적으로 명성을 쌓는 것이 아니라 오로지 마땅한 임무를 행하는 것에만 눈길을 주는 이처럼 행동하고, 공공시설 및 구호품 배분 등에는 심사숙고하며 원칙을 세우도록 하셨다네.

그분은 목욕탕을 시도 때도 없이 드나들지 않았고, 건물의 축조에도 탐닉하지 않았으며, 식도락도 즐기지 않고, 옷감이나 그 색상, 외모 따위에도 마음을 두지 않으셨네. 그분의 겉옷은 로리움에 있는 자신의 별장에서, 그 외 많은 것들은 라누비움에서 가져왔고, 그리고 투스쿨룸의 세금 징수원이 정중히 사과할 때[27]는 어떻게 대하는지 등 모든 일을 알려주셨네.

어디서도 주변을 당혹스럽게 하거나 무정하게 굴거나 난리를 피우는 일 없이 시쳇말로 "진땀 빼지" 않고, 느긋하게 만사를 예측하고, 동요 없이 정도에 맞게 건강을 유지하며 자신을 적절하게 조절할 것, 그러니까 소크라테스가 상기한 바와 같이, 만물이 너무 약해지면 아끼고 풍성하면 누리는 것처럼 절제와 향유가 그분에게도 있었네.

병환에 드신 막시무스가 보여주신 것처럼, 불굴의 고귀한 영혼을 지닌 사람에게는 향유와 절제의 양 측면이 있다는 것을 보여주신 것이네.

17. 신들은 훌륭한 조상, 좋은 부모와 착한 누이, 훌륭한 스승들, 착한 식솔과 친척, 친구들 거의 모두를 내게 주셨고, 심지어 내 성품이 이들과 불화할 수 있는 상황에서도 이들의 감정을 전혀 상하지 않도록 하셨네. 내가 수치를 당할 일들이 생기지 않은 것도 신들의 은혜였네.

작은 할머니[28] 곁에서 대부분의 성장기를 보낸 덕에 젊음의 꽃을 유지했고, 이른 나이에 어른 행세를 하지 않았던 것도

---

27 투스쿨룸은 로마의 남동쪽에 위치한 도시로 언덕이 많기 때문에 여름 휴양지로 유명했다. 이곳의 세금 징수원과의 사건에 대해서는 알 수 없다. 아마도 날씨가 더워 의복을 제대로 걸치지 않은 것을 사과한 것 같다.

28 할아버지의 소실을 말한다.

그렇다네. 하지만 그 시기가 조금 지체되기까지 했다네.

통치자인 아버지 슬하에 있던 것도 신들의 은혜였네. 그분은 내가 자만하지 않게 하셨고, 궁궐 생활에 경호원이나 예복, 횃불, 조각상들이나 그 밖의 허례허식 등도 없애셨고, 자신을 일반인 신분으로 낮춰도 공동체를 위한 통솔력이 떨어지기는커녕 오히려 수월하게 발휘될 수 있음을 알려주셨네.

나 자신을 돌봐주고 인품으로 일깨우면서도 존경과 애정으로 즐겁게 해주는 형제가 있다는 것, 자식들이 아둔하지 않고 신체가 모두 온전하다는 것, 아마도 내 길이다 싶었으면 수사학과 시, 다른 학문에 흠뻑 빠졌을 테지만 더 많은 정진이 없었다는 것조차도 신들의 은혜였네.

내가 스승님들을 학수고대하는 영광스러운 자리에 서둘러 임명했으며, 스승님들이 아직 젊으니 나중에라도 그렇게 될 수 있다는 희망만 품도록 하지 않은 것은 신들의 은혜였고, 아폴로니오스, 루스티쿠스, 막시무스를 알게 된 것도 신들의 은혜였네.

나 자신에게 자연에 순응하는 삶을 명백히 그리고 거듭 상기시켰던 것이, 신들 그리고 저 세계의 도움과 영감에 관련되는 한 자연에 순응하는 삶에 방해받지 않았던 것도, 신들의 은혜라네. 그러나 그것에 부족한 것이나 한밤중에 꿈으로 보여준 신들의 가르침에 주의를 기울이지는 못했다면 그것은 전적으로 내 탓일 것이네.

내 몸이 이런 생활[29] 속에서 버텨준 것도, 베네딕타[30]나 테오도토스[31]에게 결코 손대지 않은 것도, 심지어 이후 사랑의 욕정에 괴로워하다가 회복된 것도, 그리고 루스티쿠스로 인해 자주 마음 아팠지만 더 이상은 후회할 짓을 하지 않은 것도, 비록 젊어서 세상을 떠나셨지만 어머니가 마지막 몇 년을 나와 함께 보내신 것도 신들의 은혜였네.

가난해 보지 않은 것, 그 외에도 뭔가가 궁핍한 자를 돕고 싶을 때마다 한 번도 그럴 만한 돈이 없지 않았던 것, 다른 사람의 도움을 받아야 할 만큼 궁핍함을 겪지 않은 것도, 내 아내가 순종적이고 애정이 넘치며 소박한 것도, 재능 있는 스승들이 내 자식들을 잘 자라게 해준 것도 신들의 은혜였네.

꿈속에서 각혈과 현기증을 물리치는 처방을 받은 것도, 카이예타에서 신탁을 받은 것도, 철학을 이토록 열망함에도 소피스트에게 빠지거나 틀어박혀 독서만 하거나 삼단논법을 해결하거나 천체 연구에 몰두하지 않을 수 있었던 것도 신들의 은혜네. 이 모두 "신들의 도움과 행운이 있었기" 때문이네.

---

29 아우렐리우스는 황제가 된 이후 대부분 전장에 있었다.
30 하드리아누스 황제의 첩.
31 하드리아누스 황제의 시녀.

명상 포인트

---

1. 오늘날과 같은 경쟁 사회에서
타인을 본받는 것이 과연 가능할까?

---

2. 아우렐리우스는 왜 '본받기'라는 주제를
이 책의 1권에 두었을까?

---

3. 나에게도 본받고 싶은 사람이
있는지 생각해 보자.

---

4. 나는 누구에게서 어떤 것을 본받았는지
서로 이야기해 보자.

2권 철학 훈련(관찰력)

그라누아 강변[1]의 쿠아디 사람들[2] 가운데서 적다.

1. 동이 트면 먼저 당신을 향해 말하십시오. 아마도 (오늘) 쓸데없는 참견과 배은망덕, 오만과 거짓, 시기와 고립에 맞닥뜨리게 될 것이라고. 이 모든 것은 선악에 무지한 채 생겨나는 것이라, 선은 본래[3] 좋고 악은 본래 추한 것으로 보이지만, 허

1   현재 체코의 동쪽 모라비아(Moravia) 지역.
2   게르만 일족.
3   원문의 'φύσις τοῦ ἀγαθοῦ'를 '선의 본성'이 아니라 '선은 본래'로 옮겼다. 원문의 '퓌시스(φύσις)'는 '본성'으로 번역할 수 있지만 '본성' 자체보다는 '본성'이라는 단어를 수식하는 소유격의 단어가 논의의 쟁점이 되는 문맥에서는 소유격의 단어를 주격으로 놓고 퓌시스를 '본래'로 옮겼다. 또한 '퓌시스'가 여격으로 나오면 '본성에

물 많은 내 모습도 본래 나와 근본은 같은 것이겠지요. 선악의 구분은 피와 살에서 비롯된 것이 아니라 신성(神性)에 속하는 인간의 사고 작용으로 내게 일어나는 것입니다.[4]

하지만 나는 그 어떤 것으로도 해를 입지 않고 추하게 되지도 않습니다. 근본이 같으면 발처럼, 손처럼, 두 눈꺼풀처럼, 윗니와 아랫니처럼 서로 도우려고 태어난 것이기에 화낼 수도 미워할 수도 없으니, 짜증 내며 그 생각들을 떨쳐 버리려는 것은 본성에 맞서는 것일 뿐입니다. 이런 생각들에 맞서는 것조차 본성에 어긋난 것이겠지요.

2. "내가 있다."는 것은 몸, 숨, 그리고 이에 대한 관리[5]가 있다는 것입니다. 산만해지지 않도록(자신에게 집중하도록)

있어서'가 아니라 '본래'로 옮겼다.

4 아우렐리우스는 선악의 문제에 대해서 본래 선하거나 본래 악한 것 외에 인간의 사고 작용으로 구분되는 선악의 문제도 있음을 말한다.

5 '몸, 영혼, 그리고 이를 관리하는 이성'으로도 번역할 수 있다. 하지만 3권 16의 몸, 영혼, 지성과는 분명 다른 관점의 이야기를 하기 때문에 이렇게 옮겼다. '관리'는 그리스어로 헤게모니코스(ἡγεμονικός)인데, '안내하다', '관리하다', '지배하다'를 뜻하는 '헤게모네우오(ἡγεμονεύω)'에서 파생됐다. 많은 주석가들이 여기에 '로고스(λόγος)'라는 단어가 생략되었다고 보기도 한다. 이 경우의 번역은 '관리하는 이성', '주도적인 이성', '안내하는 이성'이 된다.

그러나 역자는 이 부분에서 '로고스'를 구태여 첨가하지 않아도 내용 이해에 어려움이 없다고 보고 없는 채로 번역하였다. 다른 부분에서 '헤게모니코스'가 '로고스'와 같이 쓰일 때는 맥락에 따라 '안내하는', '주도적인'이라고도 옮겼지만, 주로 '관리하는'으로 옮겼다.

책들을 멀리하십시오. 이제 피와 뼈, 근육과 실핏줄로 얽히고 설킨 몸이라도 죽음의 순간에 놓인 몸처럼 대수롭지 않게 여기십시오. 숨[6]이란 바람이지만 항상 바뀌어 순간마다 (내 몸으로) 들고 납니다.

이제 세 번째 요소인 '관리'에 대해 생각해 보십시오. 내 몸을 노예처럼 대하지 말고, 더 이상 어색하고 괴팍한 꼭두각시처럼 대하지도 말고, 윗사람처럼 여기며 관리하십시오. 지금의 몫을 견디고 앞날의 몫을 바라보십시오.

3. 신들의 일은 섭리로 가득하니, 본래 운수도 길쌈[7]과 다를 바 없이 섭리로 다스려집니다. 만상이 섭리로부터 흘러나오고 온누리에는 필연성과 유용성이 있으니, 당신도 여기에 속하지요. 자연의 온갖 선물을 취하고 전체 자연을 잘 유지하는 것은 자연에 속한 각 부분에도 속속들이 좋을 뿐만 아니라, 낱낱의 자연이 한데 섞여 바뀌는 것도 온누리가 잘 유지되는 일입니다. 당신은 이것이면 충분합니다. 항상 이것을 원칙으로 삼으시지요. 책에 매달리지 말고 죽음 앞에서 불평하지 마십시오. 참으로 긍정적으로, 진심으로 신들께 감사하면 그것으로 족합니다.

4. 잊지 마십시오, 얼마나 오랫동안 신들께서 주신 기회를

---

6   프네우마(πνεῦμα).
7   운명의 여신 클로토가 하는 행위로 신이 부여한 운명을 뜻한다.

팽개치고 얼마나 자주 이것들을 버려왔는가를. 당신이 일부인 세계가 어떠한지, 과연 온 세계는 누가 다스리며 누구로부터 왔는지, 또 시간의 한계는 어떠한지, 그리고 혹여 당신의 마음에서 느낀 구름을 제거하는 데 시간을 사용하지 못하면 시간도 가고 당신도 사라져 결국 기회는 오지 않는다는 것을 반드시 깨달으시길 바랍니다.

5. 매 순간 숙고하십시오, 로마 대장부로서 당신 손에 맡겨진 과업을. 세심하게 마음의 동요 없이, 타인에 대한 사랑과 관대함으로 올바르게 행하고 자기과시에 시간을 쓰지 마십시오. 매 행동거지를 생의 마지막이라 여기며, 온갖 맹목적인 일, 사리분별 없는 열정, 위선, 이기심, 주어진 운명의 몫에 대한 불만에 시간을 쓰지 마십시오. 보십시오! 누구나 만족하고 경건하게 살 수 있는 방법은 몇 가지 안 됩니다. 신들조차도 이 몇 가지 원칙을 지키는 사람들에게는 더 이상 아무것도 요구하지 않을 것입니다.

6. 무례하지요. 이 버릇없는 넋! 인생은 제 가치를 살필 겨를도 없는 법입니다. 우리 각자의 인생은 짧습니다. 비록 스스로를 존경하지 않는다 해도 당신의 이 생은 거의 완성되었고 다른 사람들의 정신 속에 남을 것입니다.

7. 외부의 것 때문에 시름에 젖어 괴로우신가요? 그럴 여유가 있다면 방황하지 말고 좋은 것을 익히십시오. 또 이미 익

했어도 다른 방황을 조심하십시오. 인생살이에 권태를 느끼고 목표를 잃으면 어리석게 되어 조급함이나 자기과시도 단호하게 고치지 못할 것입니다.

8. 다른 사람의 넋두리에 개의치 않으면 사람의 불행을 볼 일이 거의 없겠지만 자기 넋의 움직임을 따르지 않는 자는 필시 불행할 것입니다.

9. 이것들을 늘 명심하십시오. 전체의 본성은 무엇인가, 나는 무엇이고 전체와 어떤 관계가 있는가, 어떤 전체의 어떤 부분인가. 그리고 전체의 부분인 내가 늘 본래의 자연을 따라서 행하고 말하는 것을 막을 자는 아무도 없다는 것을 늘 명심하십시오.

10. 현자답게 말하는 테오프라스토스[8]는 여러 그릇됨[9]을 견주어보고, 그릇된 성깔보다 그릇된 욕망이 더 심각한 문제라고 했습니다. 그릇된 성깔은 고통을 겪고 기를 펴지 못하다가 저도 모르게 이성을 잃는 것이고, 그릇된 욕망은 쾌락이 고삐를 쥘수록 더 비겁자[10]다워지며 그릇되게 행하는 것입니다.

---

8   소요학파의 대표적 철학자로 아리스토텔레스가 세운 뤼케이온에서 그의 뒤를 이어 교장이 된다.

9   소크라테스주의와 스토아주의에서 모든 잘못은 '과녁을 빗나감'(하마르티아, ἁμαρτία)으로 표현된다. '벗어남'이라는 물리적 현상이나 '비뚤어짐', '그릇됨'이라는 윤리적 태도까지를 의미한다. 윤리적 맥락인 경우 '그릇됨'으로 옮겼다.

10   원문에는 아녀자로 되어 있다.

고통보다 쾌락에서 온 그릇됨을 더욱더 모질게 꾸짖어야 할 것이라고, 그는 꺾일 줄 모르는 현자답게 말하는 것입니다. 일반적으로 말해서, 그릇된 성깔은 부당해 보이는 고통에 시달리다 버럭 화를 내는 반면에, 그릇된 욕망은 쾌락에 따라 뭔가를 행하고 스스로 부당함을 좇기 때문이라는 것입니다.

11. 흡사 아무 때라도 생을 마감할 것처럼 생각하고 말하며 행동하도록 하십시오. 신들께서 존재하신다면 사별도 두렵지 않고, 어떤 악에도 빠질 수 없습니다. 혹여 신들이 없거나 그분들께서 사람을 보살피지 않는다면, 신들도 없고 섭리도 없는데 나는 왜 천하에 살아야 할까요?

신께서 살아 계셔서 사람을 보살피시고, 진실을 따라 사람이 악에 빠지지 않게 하십니다. 혹여 악이 주변에 남아 있다고 할지라도 각자가 악에 빠지지 않게끔 악을 미리 살피게 하십니다. 신께서 사람을 더 악하게 만들지 않으셨는데 어찌 삶이 더 악해질 수 있단 말일까요?

우주 전체의 본성이 무지하거나 혹은 알면서도 옳은 것을 지킬 힘이 없어서 못 본 척 지나치는 일은 있을 수 없습니다. 심지어 힘이나 기술이 부족하여, 구별 없이 선인과 악인에게 선과 악을 똑같이 섞어 주는 그릇됨 또한 있을 수 없습니다.

하지만 삶과 죽음, 존경과 수치, 고통과 환락, 부와 가난, 이 모두는 선인에게나 악인에게나 똑같게 주어지니 그 자체는 좋지도 추하지도 않고 선도 악도 아니겠지요.

12. 모든 것이 얼마나 급격히 사라지는지요. 내 뼈와 살이 세상에서 자취를 감추면 그 안에 있던 기억 또한 사라집니다. 온갖 육정(肉情), 특히 쾌락에 넘어가거나 고통으로 겁먹거나 자만으로 들뜨는 것이나, 육정이 제값 못 하고 하찮게 썩어가는 것도 더러운 송장 안에 깃들어 있기 때문이라는 것을 능히 분별하십시오. 생각하고 말하는 것이 무엇이기에 존경을 받기도 수치를 당하기도 할까요?

죽음이란 무엇일까요? 만약 누군가 죽음과 관련된 잡념들을 떼어내고 죽음에 대해서만 살펴본다면 죽는 것은 자연의 기능일 뿐임을 알 수 있습니다. 혹여 자연의 기능에 겁을 낸다면 그것은 유치한 일일 테지요. 하지만 죽음은 자연의 기능일 뿐만 아니라 이롭기까지 합니다. 인간의 어떤 부분이 어떤 조건에 놓일 때 인간이 어떻게 신과 연결될 수 있는지 관찰하십시오.

13. 한 시인[11]이 사물의 주변부만 돌면서 "땅의 깊이를 연구한다."라고 말한 것처럼, 외부의 증거들을 통해서만 이웃의 영혼 속에 일어나는 일들을 연구하는 사람은 한심한 자입니다. 자신 속에 거하는 그 신령을 굳게 지키고 진실하게 섬겨야

11   그리스 서정시인 핀다로스를 말한다.

함을 깨닫지 못하는 자보다 더 한심한 자는 없습니다. 진실하게 섬겨야만 신들과 사람의 일을 통해 겪는 시련과 무턱대고 하는 불평으로부터 정화되는 것입니다.

신들로부터 오는 것은 좋기 때문에 우리의 존경을 받을 만하고, 사람들로부터 오는 것은 우리와 공통되기에 사랑스럽습니다. 하지만 어떻든 우리는 선악에 대해 무지하고 흑백을 분간할 수 없는 인간일 뿐입니다.

14. 당신이 3000년을 산다 한들 3만 년을 산다 한들, 다른 인생을 버려서 지금을 사는 것이 아니고, 지금을 버려서 다른 인생을 살 수 있는 것이 아니라는 점을 기억하십시오. 따라서 가장 긴 인생도 가장 짧은 인생도 종국에는 매한가지입니다. 현재는 모두에게 동등하고, 그래서 지나간 시간 또한 동등하고, 지나가는 과거는 가장 짧은 순간으로 존재를 드러냅니다. 누구도 과거와 미래를 버릴 수 없으니, 지금 없는 것을 어찌 버릴 수 있단 말입니까?

늘 다음 두 가지를 기억하십시오. 첫째, 만물은 태초와 같은 형상으로 돌고 돕니다. 100년이든 200년이든 무한의 시간이든, 보이는 것에는 아무런 차이도 없습니다. 둘째, 가장 오래 산 자도 가장 짧게 산 자도 동일한 것을 잃어버렸으니, 잃어버릴 수 있는 것은 오로지 가진 이것뿐, 즉 지금 이 순간뿐, 누구든 가지지 않은 것을 빼앗기지는 못합니다.

15. "모든 것은 있다고 짐작한 것뿐이다." 견유학파 모니모스[12]가 했다는 이 말은 분명 명백합니다. 누군가가 이 말의 진수를 알기만 한다면 분명 유익이 됩니다.

16. 사람의 영혼이 자기를 다치게 하는 것은 첫째, 자기 탓으로 혼돈에 빠져 스스로 자연의 질서에 일종의 병패가 될 때입니다. 발생한 일에 대해 화가 나는 것은 본성이 어그러졌기 때문입니다.[13] 자연은 본래 자기 밖의 자연도 자기 속에 가집니다.[14] 둘째, 사람이 화가 날 때와 마찬가지로, 사람을 싫어하거나 화가 치밀어 해할 의도로 사람과 대립할 때 병패가 생깁니다. 셋째, 환락이나 고통으로 인해 기운을 잃었을 때입니다. 넷째, 가장하고 꾸미며 진실인 척 행하고 말할 때입니다. 다섯째, 아무리 작은 일을 행할 때도 그 목적을 고려해야 하는데, 어떤 방향으로 자기 일을 끌고 나가거나 동기를 불러일으킬 수 없을 때입니다. 이성적 동물의 목적은 옛 도시국가[15]의 이치와 정체를 따르기 때문입니다.

17. 인생은 찰나요, 어떤 존재도 한곳에 멈추지 않으니, 곧 감각마저 둔해지고 모든 몸뚱이는 썩게 됩니다. 그 영혼은 혜

---

12 디오게네스의 제자.

13 스토아주의에서는 분노 조절을 중요한 덕목으로 여겼다.

14 이에 대한 대표적인 예는 비트루비우스가 주장한 '인간 소우주론'을 들 수 있다. 그는 인간의 구조 속에 우주의 구조가 반영되어 있다고 여겼다.

15 스토아주의는 큰 도시나 국가가 하나의 세계(cosmopolis)라 여겼다.

매고, 그 운수는 측량치 못하고, 그 명성 또한 분명치 않습니다. 몸에 속한 온갖 것은 흐르는 물이요, 영혼에 속한 것은 꿈과 환상이요, 인생은 투쟁이자 잠시뿐인 타향살이, 떨치던 명성은 후세에 그칩니다.

그렇다면 무엇이 우리를 강하게[16] 할까요? 오직 하나, 철학[17]입니다. 철학은 우리의 얼[18]이 욕되거나 훼손되지 못하게 막아주고, 또한 우리가 쾌락과 고통을 관리하며 목적 없이 행동하지 않게 하고, 속이거나 가장하지도 않으며 타인이 무엇을 하든 말든 욕망을 비우게 하고, 심지어 우연이나 운수도 동일한 근본에서 온 것으로 받아들이게 하고, 죽음은 각 생명체를 구성한 다양한 요소들의 결합이 풀어지는 것에 불과하다 여기며 그 죽음을 즐겁게 기다리게 합니다.[19]

---

16 원문에는 '능력이 있다', '강하게 하다', '잠재력을 지니다'를 뜻하는 '뒤나마이(δύναμαι)'가 사용되었다. 철학이 인생의 싸움터에서 우리를 강하게 하고 잠재력이 넘치도록 한다는 의미다.

17 본문에서 '철학(φιλοσοφία)'은 '지혜(σοφός)'에 대한 '사랑(φίλος)'이라는 뜻이다. 이렇듯 '지혜에 대한 사랑'은 흔히 철학으로 번역되는데, 아우렐리우스는 지혜에 대해서 높이 치면서도 직업적인 철학자들에 대해서는 부정적 시각도 갖고 있다.

18 원문의 '다이몬(δαίμων)'을 옮겼다. 다이몬은 호메로스의 글에서 이름이 부여되지 않는 신을 지칭하다가 '정령'으로 이해되기도 했다. 아우렐리우스는 우리 안에 다이몬이 있다고 한다. 얼이나 신령으로 이해할 수 있다. 주로 신령으로 옮겼지만 여기서는 얼로 옮겼다.

19 죽음은 자연스러운 이치로서 원소들의 분해에 지나지 않았다. 세네카는 때때로 죽음을 인간의 의무라고(『서간문』 77.19) 했다.

물질 자체로서는 끊임없이 다른 것으로 바뀌는 것이 결코 겁나는 일이 아닌데도 왜 사람들은 모든 변화와 풀림을 두려워할까요? 죽음은 자연에 순응하는 것이며, 자연에 순응하는 것에는 악한 것이 없으니, 두려울 것은 없지 않을까요.

명상 포인트

1. 이 『명상록』은 저자가 자신과 대화하는 형식이다.
   나는 나 자신에게 어떤 말을 해주고 싶은가?

2. 인생이 무엇이라고
   생각하는가?

3. 죽음이 무엇이라고
   생각하는가?

4. 왜 우리는 철학으로
   돌아가야 할까?

3권 선택 훈련(결단력)

카르눈툼[1]에서 적다.

1. 날이 갈수록 생명은 사그라들고 인생의 마디는 그만큼 짧아진다는 점만 생각하지 마십시오. 설령 더 오래 산다 해도 과연 생명이 계속 깨어 있어 신과 인간의 문제를 깨닫고 사물을 꿰뚫어 볼 수 있을지도 숙고해 보십시오.

온전하지 않은 정신으로 말이 많아지기 시작하면, 호흡이

---

1   171~173년에 이곳에서 게르만족, 마르코만니족과 쿠아디족, 그리고 로마가 전쟁을 했다. 지금의 오스트리아 하인부르크(Hainburg) 지역이다. 그 경계에 다뉴브 강이 있었다. 3권은 1차 마르코만니 전쟁 때의 기록이다. 2차 마르코만니 전쟁에도 원정을 나갔는데, 이 전쟁을 평화조약으로 끝마치면서 아우렐리우스는 적들에게 시민권을 주었다.

나 식욕, 상상력이나 기력 등은 여전해도, 마땅한 물음을 던지지 못해 의문조차 사그라듭니다. 예컨대 자신을 적절하게 관리해 옴으로써 자신에게 적합한 것이 무엇인지 확실히 알고, 몸에 느껴지는 감각 자극의 내용을 분명히 파악하며 갈고닦은 사리분별이 있어야, 지금이 삶을 마무리할 때인가와 같은 물음을 던질 수 있습니다. 그러므로 우리는 시시각각 죽음에 다가가고 있을 뿐 아니라 막상 죽음에 이르면 즉시 사물을 꿰뚫어 보고 연결시키지 못하기 때문에 서둘러야만 합니다.

2. 유의해야 할 것은 자연의 부산물이 매력적이고 흥미를 끈다는 점입니다. 예를 들어 빵을 구우면 군데군데 갈라지는데, 이것은 빵장수가 의도한 바는 아니지만 다른 사람의 눈에 띠면 특히 식욕을 당기지요.

무화과도 가장 잘 익었을 때 갈라집니다. 잘 익은 올리브 열매도 썩기 직전에 특히 맛있지요. 고개 숙인 이삭, 사자의 주름진 이마, 멧돼지 입에 머금은 거품 등 그 낱낱은 비록 아름답게 보이지 않더라도 자연이 조화를 이루는 과정에서 생긴 것이기에 아름답고 매력적입니다.

우주에서 벌어지는 온갖 일에 열정과 깊은 통찰을 지닌 사람한테는 즐겁지 않을 일이 없습니다. 심지어 그 부산물조차 마찬가지입니다. 그 사람은 작가나 조각가가 묘사한 것 못지않게 야생동물의 벌린 아가리에서 기쁨을 느끼고, [……] 노인들에게서도 절정기의 [⋯⋯]² 을 봅니다.

그리고 집에서 부리는 자기 소년소녀³도 진지한 눈으로 바라봅니다. 하지만 이와 같은 많은 일을 모든 이에게 권하지는 않습니다. 이런 일에 본래 친숙한 이에게만 권합니다.

3. 히포크라테스⁴는 많은 병자를 고쳤지만, 자신은 병들어 죽었습니다. 칼다이오이족 점성가들은 많은 이들의 죽음을 예언하였지만, 이후 자신들에게도 그 예언이 적중하였지요. 알렉산드로스와 폼페이오스, 가이우스 카이사르는 온갖 도시를 닥치는 대로 파괴하고 전장에서 수많은 기병과 보병들을 죽였지만, 어느덧 자신들도 생명을 잃게 되었습니다.

헤라클레이토스는 우주의 불에 대해 파고들었지만 몸속에 물이 가득 들어차서 쇠똥을 살갗에 바르고 죽었습니다.⁵ 데모크리토스는 해충 때문에, 소크라테스도 다른 종류의 해충⁶ 때문에 죽었습니다. 이것이 다 무엇인가요?

당신은 (저승의) 배를 탔고 강을 건너 죽음의 세계에 이르

2 괄호 부분은 사본의 단어가 소실되어 빈칸 처리되어 있다.

3 원문에는 노예 소년을 말한다.

4 고대 그리스의 가장 유명한 의사로 기원전 460년에 태어났고, 소크라테스와 같은 시기에 살았다.

5 헤라클레이토스는 수족증을 앓았다고 전해진다. 당시 수족증의 치료법은 몸에 있는 물의 기운을 마르게 하기 위해 쇠똥을 바르는 것이었다고 한다.

6 소크라테스를 죽인 '해충'은 기원전 399에 그를 사형시킨 아테네 사람들을 말한다.

렀으니 내리십시오. 또 다른 생을 접해도 거기에 신들이 있습니다. 당신에게는 어떤 감각도 없으니 고통과 환락은 끝나고, 제사 의례보다 못한 질그릇[7]의 중노동도 그칠 것입니다. 제사는 혼과 신령에 속하고, 질그릇은 흙과 배설물에 속합니다.

4. 공공의 이익과 관련하여 당신의 삶을 바칠 게 아니라면, 타인의 일에 여생을 허비하지 마십시오. 여차여차한 사람들이 무슨 이유로 행동하는지, 무엇을 말하고 무엇을 원하고 무엇을 꾀하는지에 대해서 헛되이 신경 쓰다 보면, 중심을 잃고 벗어나 당신 자신을 조절할 수 없기 때문입니다.

그러니 상상의 끈에 묶여, 그럴듯해 보이지만 쓸데없는 생각, 특히 근심과 음모에 휩싸이지 마십시오. 갑자기 누군가가 당신에게 무슨 생각을 하고 있는지 물어본다면 이러저러한 생각을 하고 있다고 곧바로 익숙하게 답할 수 있어야 합니다.

대답을 하다 보면 당신의 온갖 생각들, 즉 환락을 멀리하는지 방종한지 순수한지 공손한지가 즉시 밝혀지게 됩니다. 단 한 번이라도 향락을 꿈꾸고 경쟁심과 중상모략 등을 마음속에 품은 것이 드러나면 얼굴이 붉어지겠지요.

이런 고귀함을 갖추고 더 이상 높은 자리를 탐하지 않는 자는 신들의 사제이자 충신입니다. 자신 안에 깃든 것을 부릴

---

7   고대 그리스와 히브리 문학에서는 사람을 흔히 질그릇에 비유하였다.

줄 아는 사람은 환락으로 더럽혀지지 않고, 온갖 고통에 상처 받지 않고, 온갖 교만으로 해를 입지 않고, 온갖 부정(不淨)에 쉬이 영향받지 않고 무엇을 겪어도 포기하지 않으며 최고의 상을 얻고자 겨룬답니다. 깊숙한 곳까지 정의로 물들어 있기에 온 마음을 다해 자신에게 닥친 일과 온갖 운명을 받아들이고, 공공의 이익에 어떤 큰 도움이 필요한 경우에 한해서만은 드물지만 타인의 말과 행동과 생각에 마음을 씁니다.

자신이 능력을 발휘할 만한 일에만 관심을 갖고, 온 세상으로부터 부여받은 일만을 끊임없이 고려합니다. 자신의 소임을 기꺼이 받아들이고 그것이 선하다고 믿기 때문입니다. 각자에게 부여된 운명의 몫이 각자를 이끌어가는 것입니다.

사리분별을 타고난 모든 생명체는 서로에게 친척이며, 만인을 보살피는 것이 본래 인간다운 것입니다. 만인의 생각이 아니라 오로지 자연에 순응하는 자의 생각을 본받아야 함을 명심하십시오. 집 안팎에서 밤낮으로 그렇게 살지 않는 사람들이 누구인지, 또 그들이 어떤 자들과 어울려 다니는지를 늘 기억하고, 이런 자들의 칭찬에는 어떤 대꾸도 하지 마십시오.

5· 무슨 일을 하든 마지못해서 하지 마십시오. 자신만 위해서 또는 분별이 없거나 꼬임에 빠져서 일하지도 마십시오. 당신의 생각을 화려한 언변으로 꾸미지 마십시오. 말수가 많아서도 바쁜 몸이 되어서도 안 됩니다.

당신 안에 있는 신으로 하여금 남자답고 성숙한 자, 그러니까 정치가, 로마인, 제 위치를 지킨 통치자, 즉 맹세나 증인의 도움 없이도 생의 마지막을 기다리고 자유롭게 될 자를 굽어살피도록 하십시오. 외부에서 돕거나 타인이 베풀어 얻은 평온이 아니라 내 안에 있는 즐거움을 지키십시오. 타인이 당신을 세우는 것이 아니라 스스로 올곧게 서야 합니다.

6. 당신의 지성을 만족시키는 것이 있습니다. 바로 정의, 진실, 절제, 용기[8]입니다. 당신은 이를 통해 사리분별을 하여 행동할 수도 있고, 당신의 선택과는 상관없이 자연스레 주어진 것들을 통해 행동할 수도 있습니다.

만일 이런 것들보다 인간의 삶 속에서 더 강력한 것을 발견하고 더 좋은 것을 보게 된다면, 온 마음을 다해 그곳으로 향하고 당신이 발견한 최고의 '좋음'[9]을 즐기도록 하십시오. 하지만 당신이 사적인 욕망을 굴복시키고 생각들을 따져보건대, 소크라테스가 말한 것처럼 모든 열정적 감각에서 물러나 스스로 신들을 섬기고 사람을 배려하는 마음보다 더 좋은 것이 없다면, 그리고 이것과 비교해 기타 온갖 것들이 더욱 나쁘고 하

---

8   아우렐리우스는 스토아주의의 4주덕을 말할 때, 간혹 지혜를 진실로 바꿔 쓰기도 한다. 5권 12에서는 지혜로 말하고 있다.

9   플라톤이 말하는 이데아들 중 최고의 이데아를 가리킨다. 지혜, 용기, 절제, 정의라는 4주덕도 '좋음'을 근거로 구현된다.

찮게 보인다면, 다른 것에는 어떤 여지도 두지 마십시오.

자신의 고유한 길에서 벗어나 다른 것에 한 번 빠져 넘어지면, 당신은 본래 좋은 것을 더 이상 존경하지 않을 것입니다. 본래의 고유한 길에서 벗어난 것들은 모두 잠시 우리의 본성에 적합한 듯 보여도, 돌연 우리를 장악하고 휩쓸어 갑니다. 그러니 당부하지만, 당신에게 더 좋은 것을 단호하게, 그리고 더 자유롭게 택하여 붙드십시오.

"더 좋은 것이 나를 이롭게 한다." 사리에 어긋나지 않는다면 그것을 붙드십시오. 그러나 짐승에게나 적합한 것이라면, 그것을 거절하고 소란 피우지 말고 당신의 결정을 고수하십시오. 겸손하게 자신의 마음을 관찰하고 끊임없이 주의하여 따져보십시오.

7. 언제라도 약속을 깨는 것과 몰염치, 미움, 의심, 저주, 위선, 은닉[10]에 대한 갈망이 당신에게 이롭다고 여기지 마십시오. 자신의 지성과 신령, 그리고 이 지성의 덕을 숭상하는 자는 자신의 삶을 비극으로 만들지도, 불평하지도 않을 것이며, 고립이나 다수와의 관계에 빠지려 하지도 않을 것입니다. 특히 인생살이 때문에 재물을 좇거나 피하지도 않을 것입니다.

그런 사람은 자신의 혼이 육신에 매여 있는 기간을 늘일

---

10   원문에는 '담장과 울타리 치기'이다. 성도착자들이 자신들의 왜곡된 성욕을 가리기 위해 사용한 것을 의미하는 듯하다. 3권 16 참조.

지 줄일지에 관심이 없습니다. 지금 당장 세상을 떠나야만 한다 해도, 다른 볼일이 있어 자리를 뜨듯 말끔하게 홀홀 털어버리고 겸허하게 떠납니다. 그가 평생 주의할 것은 오직 한 가지, 즉 자신의 지성이 사리분별이 있는지, 사회적 기준에서 벗어나지 않았는지 여부입니다.

8. 교양 있고 철저하게 올곧은 사람의 지성에서 당신은 상처[11]를 발견할 수 없을 것입니다. 누군가가 말했듯이 연극[12]은 계속되지만 배우가 자기 배역을 마치고 떠나듯이 자신의 운명이 정해져 있습니다. 운명은 억지로 자신의 생명을 단축시키지 않습니다. 더구나 당신은 교양 있는 사람에게서 비루함도 허세도 발견하지 못할 것이며, 속박도 방임도 변명도 감춤도 못 볼 것입니다.

9. 선택의 힘을 귀히 여기십시오. 그 힘이 당신을 안내하여 자연을 따르고 이성적 동물의 규칙에 걸맞게 할 것입니다. 급하게 동의할 때에도 선택의 힘은 선택의 자유[13]를 보장합니

---

11 원문에서는 '고름이나 헌데나 종기'이다. 인문교양이 일종의 치료제와 같은 역할을 한다고 생각했다.

12 연극 이미지는 이후 10권 27, 11권 1, 12권 36에서도 나타난다. 이런 이미지는 에픽테토스의 명언, "인생은 연극이다."에 근거한 것이다.

13 이 표현은 아프로프토시아(ἀπροπτωσία)라는 한 단어를 길게 풀어 옮긴 것이다. 전기 스토아 철학자였던 크뤼십포스에게 나타나는 개념으로 우리가 선택을 할 때 '인상'(판타시아)을 스스로 떠올리면서 판단하는 것으로 보고 있다. ('인상'에 대한 자세한 설명은 3권 17번, 5권 7번, 8권 13번 각주를 참조하라.) 아우렐리우스는 이 '인상'

다. 또한 그것은 가족과 친밀히 지내고 다른 한편으로 신들을 따르게 합니다.

10. 온갖 것을 다 버리되, 몇 가지만은 취하여 기억하십시오. 각자는 현재 이 순간을 살고 있습니다. 그 밖의 삶은 이미 과거이거나 미지의 것입니다. 각자의 삶은 순간이며 사는 곳 또한 한낱 땅 구석일 뿐입니다. 심지어 사후에 회자되는 당신의 명성 또한 잠시만 기억되며, 오래전에 죽은 사람은 물론이고 당신에 대해서 전혀 알지도 못하는 사람에게 그 명성이 전해질 뿐입니다.

11. 앞선 조언에 한 가지만 더하겠습니다. 무엇이든 마음에 떠오르는 것이 있다면 항상 그것을 정의하고 표현하십시오. 그래서 그것이 어떤 부류에 속하는지 분명하게 알 수 있도록 하십시오. 즉, 근본에 이르기까지 분류하여 그것을 전체로서도 파악하고, 그 부분들도 살펴보아야 합니다. 전체에 이름을 붙여보고 분류된 부분에도 이름을 직접 붙여보십시오.[14]

도량이 넓다 함은, 일상에서 모든 것을 정확한 절차에 따라 진실하게 따져보고, 분류된 각 부분이 어떤 세계에서 어

에 급하게 '동의'해야 하는 선택의 상황에 대해 우려하고 있다. 인상을 받으면 그것을 이성적으로 판단하여 처리한다. 이때 인상에 동의하거나 보류하거나 하나를 선택하고, 만약 동의하게 되면 행동으로 이끄는 충동이 일어난다.

14 객관화시키는 방법을 설명하고 있다.

떤 종류의 기능을 하는지, 전체 우주를 위해, 그리고 최고 도시[15]의 시민인 인간들을 위해, 또한 하나의 가족[16]인 다른 도시의 시민인 인간들을 위해 어떤 가치가 있는지 탐구하는 것입니다.

또한 도량이 넓다 함은, 내게 지금 떠오르는 이 인상[17]은 무엇이고, 무엇으로 구성되어 있는지, 본래 얼마나 지속성이 있는지, 또한 이에 응답하는 데 온유와 용기, 진실과 믿음, 소박함과 자족 등 어떤 덕이 필요한지 살피는 능력이 있는 것을 말합니다.

각 부분에 대해 이렇게 말하십시오. 이것은 신으로부터 말미암았고, 또 저것은 운명과 우연의 일치와 우연의 결합에

---

15 스토아주의에서는 세계를 하나의 도시에 비유하곤 한다.

16 일부 스토아주의자들은 모든 인간은 친밀감을 가진 가족이기 때문에 공동가정(오이코스)에 속한다고 여겼다. 이 친밀감은 자아에서 시작하여 엄마, 가족, 친구, 도시, 우주로 확장된다.

17 '인상'은 스토아주의의 용어인 '판타시아(φαντασία)'를 옮긴 것이다. 인식의 대상이 인간의 마음을 자극하거나 인간의 마음에 떠오른 모든 것을 말하며, 마음에 특정한 모습으로 나타난 감각적 상과 사고, 기억 및 상상력을 뜻한다. 예를 들어 여기 이 책은 그 인상이 우리 마음에 남는데 이것은 마음에 충동을 일으킨다. 그 충동에 마음이 동의하게 되면 그 대상과 관련된 행동을 하게 된다. 맥락에 따라 인상 외에도 상상, 망상, 공상, 환상 등으로 옮기고, 스토아주의적 의미가 없을 때는 자기과시 등 자유롭게 옮겼다. 수동성이 강조될 때는 '인상', 능동성이 강조될 때는 '상상'으로 옮겼다. 수동성 중에서 감각적 속성이 사라질 때 잔상이라 옮기려 했지만 이 책에서는 그 예를 찾지 못했다.

서 생겼고, 또 저것은 동포, 친척, 사회 속에서 생겼지만 저 사람에게 맞는 게 무엇인지 몰라서 생긴 것이라고.

하지만 무엇보다도 내가 분명히 아는 것은, 관계에서 우리는 자연의 법칙을 따라서 사람을 친절하고 올바르게 대해야 한다는 것입니다. 동시에 (좋은지 나쁜지 모르는) 중립적인 것[18]들도 사람에게 적합한 것이면 됩니다.

12. 당신이 사리를 분별하여 오늘 할 일에 전심전력하고, 열정적으로, 어떤 것에도 마음이 흔들리지 않고, 마치 언제든 죽을 수 있는 것처럼 자신의 마음을 깨끗하고 올곧게 유지한다면, 그리고 무엇을 바라거나 피하지도 않고, 자연에 순응하며 오늘의 일을 하고, 자신이 한 말을 영웅의 말처럼 진실한 언어로 지켜나간다면 행복하게 사는 것이니 그것을 막을 자는 아무도 없습니다.

13. 의사가 응급 상황에 대비해 도구와 메스를 늘 곁에 두듯, 당신도 신과 인간의 일을 이해하기 위해서는, 아주 사소한 일에서도 매사 신과 인간 사이의 관련성을 기억하고 행동하도록 신념을 가지십시오. 인간사는 신과 관련시키지 않고 다룰 수 없으며, 그 반대도 마찬가지이기 때문입니다.

14. 이제 더 이상 방황치 마십시오. 당신은 메모장이나 노

---

18 '중간에 있는 것들(μέσοι)'을 말한다.

년을 위해 미루어둔, 고대 로마인들과 그리스인들의 행적을 뽑아놓은 선집도 읽지 않을 것 같습니다. 목표를 향해 서둘러 가십시오. 헛된 희망을 버리고, 당신 자신을 생각한다면 가능한 한 스스로 돕는 자가 되십시오.

15. 도둑질, 파종, 장보기, 휴식, 혹은 어떤 행동 하나를 하기 위해서 무엇이 필요한가를 살피는 것이 어떤 의미인지 사람들은 알지 못합니다. 그 뜻을 헤아릴 수 있는 것은 보는 눈이 아니라 또 다른 능력의 눈입니다.

16. 몸, 영혼, 지성.

몸에 감각이, 영혼에 욕망이, 지성에 판단이 있습니다. 시각에 의존해 인상을 받는 것은 가축과 다름없고, 욕망에 꼭두각시처럼 끌려가는 것은 야수들이나 성도착자들, 팔라리스[19]와 네로 같은 류의 사람들과 다름없습니다. 지성을 거짓된 일에 쏟아붓는 것은 신들을 믿지 않는 자들과 조국을 배신하는 자들, 문을 걸어 잠그고 무슨 짓이든 하는 자들과 다름없습니다.

위에서 언급한 것들은 선한 사람에게나 악한 사람에게나 마찬가지로 적용되지만, 다른 것이 있습니다. 본래 선한 사람에게 속한 몸, 영혼, 지성은, 자신에게 일어난 일과 운명이 엮은 것을 받아들여 사랑하고, 자신의 가슴속에 자리 잡은 신령

---

19 기원전 6세기 초 시킬리아 섬의 아크라가스 참주였다. 그는 사람이 고통스럽게 죽는 모습을 즐기기 위해 새로운 사형 기구인 '놋쇠 황소'를 만들었다고 한다.

을 더럽히지도 대중에게 과시하여 혼란을 주지도 않으며, 고요하게 유지하고 정연하게 신을 따르고, 참이 아닌 것은 어떤 것도 입 밖에 내지 않고, 올바른 관계에서 벗어난 짓을 절대 하지 않습니다.

소박하고 품위 있으면서도 즐겁게 사는 사람은 자신을 그누가 대수롭지 않게 여겨도 화내지 않고, 흔들림 없이 삶의 목표로 나아갑니다. 정결하고 평화롭게 힘들이지 않고 떠날 자만이 자신의 운명을 받아들이며 그 목표에 이르는 것입니다.

명상 포인트

1. 선택의 힘이 우리의 행복에
어떻게 기여하는가?

2. 내일은 어떤 마음가짐으로
살고 싶은지 이야기해 보자.

3. 내 삶의 끝점은
무엇일까?

4권 선택의 '보류 조건'

1. 우리 내면을 지배하는 힘은 자연에 순응할 때, 일어나는 일들에 더욱 강력해져 미래의 일들과 우리의 소임에 항상 쉽게 적응하게 됩니다. 특별히 이 힘은 주어진 사물을 그저 좋아하는 것이 아니라 먼저 보류 조건¹을 살펴 그 사물을 관리하는 방향으로 나아갑니다.

이는 마치 화염이 장애물에 맞닥뜨렸을 때 자기 앞에 있

---

1 '보류 조건(ὑπεξαίρεσις)'은 스토아주의의 전문어이다. 기독교에서는 서신에 D.V.를 추가했는데 즉 '데오 볼렌테(Deo Volente, 하나님의 뜻대로)'라는 뜻으로 일종의 보류 조건에 해당한다. 아무리 최상의 계획을 실행으로 옮기더라도 그 결과는 상황에 따라 바뀌는 경우가 많다. 이것은 우리가 관리할 수 없는 영역이며, 이는 오히려 관리 가능한 부분에 노력을 집중할 수 있도록 도움을 준다. 로마 스토아주의자들은 특히 정치적 영역에서 보류 조건을 강조했다.

는 장애물을 제압하여 살라버리고 오히려 그것을 땔감으로 삼는 것과 같습니다. 물론 조그마한 불길은 장애물에 의해 꺼지지만, 크게 타오르는 불길은 그것들을 곧 집어삼켜 사르고 그로 인해 더 높이 치솟게 되지요.

2. 목적이 없거나 기예[2]를 터득하려는 의도 없이는 어떤 행동도 하지 마십시오.

3. 사람들은 은퇴한 후 전원이나 바닷가, 산속에 거처를 두곤 합니다. 당신도 그것을 부러워하겠지요. 하지만 이것은 너무 사사로운 것입니다. 고요하고 한가로운 거처는 당신의 영혼 외부에 있지 않습니다. 원하기만 하면 언제든지 당신 자신 안으로 물러날 수 있습니다. 이런 생각을 가진 사람은 한없는 평온[3]으로 곧장 들어갑니다.

강조하지만, 평온은 정연함과 같습니다. 자기 자신 안으로 물러나서 자신을 새롭게 하고, 간결하며 근본적인 원칙을 세우십시오. 그것이면 충분하니 그 원칙들을 보는 순간, 당신은 온갖 시름이 사라지며 어떤 분노도 없이 제자리로 돌아갈 것입니다.

2 　그리스어 테크네(τέχνη)는 '기술', '예술'로도 번역할 수 있는데, 정확한 의미는 특정 전문 지식을 지녀서 현실에 '적용시킬' 수 있는 능력을 말한다.
3 　'평온'은 스토아주의의 대표적 개념인데, 아우렐리우스는 7.68에서 평온의 장점을 자세하게 설명하고 있다.

당신은 무엇 때문에 그렇게 화가 났나요? 사람들의 나쁜 짓 때문인가요? 이성적인 동물은 서로의 유익을 위하여 태어났으며 너그러움도 정의의 한 부분인데, 얼마나 많은 사람들이 부지중 그릇 행하여 서로 적이 되어 의심하고 미워하다가 상처를 주는지 보십시오. 결국 죽어 티끌이 되어서야 잠잠할 뿐입니다. 그러니 화를 멈추십시오.

자연 만물이 나눠준 당신의 몫에 화가 났나요? 그러면 "필연이나 우연"[4] 중에 하나만 떠올리고, 우주도 하나의 도시국가라는 논증을 떠올리십시오.

당신은 아직도 목숨에 연연하나요? 지성이 당신을 움켜잡고 당신의 능력을 알면, 숨결이 여리든 거칠든 지성은 그 흐름과 섞이지 않는다는 것을 명심하십시오. 그리고 마지막으로, 고통과 쾌락에 대해 당신이 들었던 사실과 수긍했던 것을 떠올려 보십시오.

당신은 허영에 빠져 길을 잃게 되었나요? 하지만 만사는 얼마나 급히 잊혀지고 또 얼마나 재빨리 과거와 미래의 무한한 시간 속으로 흘러가는지요. 박수갈채의 공허함과 칭찬하는 이들의 판단 부족, 경거망동을 통한 명성은 당신을 얼마나 제한된 영역에 가두어 두는지요. 온 땅은 한 점에 불과하고 우리

---

4   원문에는 "섭리이거나 원자"이다.

의 처소 또한 그 땅의 한 구석에 불과하니, 거기서 칭찬하는 자들이 있어 봤자 그 수가 얼마나 될 것이며, 얼마나 대단한 자들이겠습니까?

말년에 기억해야 할 것은, 여생 동안 당신의 은밀한 처소로 물러서는 방법입니다. 우선은 자유로워지십시오. 조바심을 내지 말고 긴장하지 마십시오.

대장부로서, 인간으로서, 사회인으로서, 사멸할 동물로서 사물을 보십시오. 손에 두고 들여다보듯 늘 살필 것은 두 가지입니다. 하나는 외부 일에 정신이 사로잡히거나 동요하지 않는 것입니다. 모든 망상은 안으로부터 나오기 때문입니다.

또 하나는 당신이 보는 이 만물이 순식간에 변하여 없어질 것이라는 사실입니다. 자신이 얼마나 많은 변화를 경험하는지 늘 깨달아야 합니다. 세상은 (변화에서 오는) 차이로 가득 차 있으며, 삶은 선택이기 때문입니다.

4. 지적인 능력이 우리에게 공통적이라면, 이성 또한 우리에게 공통적입니다. 지적 능력이 우리를 이성적인 존재로 만들어줍니다. 또 우리에게 공통적인 이성이 하여야 할 것과 하지 말아야 할 것을 분별하게 합니다. 그렇다면 이것이 법도인데, 이 또한 우리에게 공통이 됩니다. 공통된 법도를 가진다면 우리는 자유시민[5]입니다. 자유시민이라면 우리는 한 사회 구성체의 구성원들입니다. 하나의 사회 구성체라면 온 세상은

하나의 도시국가입니다.

어느 누가 다른 사회 구성체에 속한다고 말할 수 있나요? 우리의 생각과 사려, 법도가 바로 여기 공동 사회로부터 존재하는 게 아니라면 그 어디에 있겠습니까? 내 살덩이는 땅에서, 체액은 다른 요소에서, 숨결은 또 다른 어떤 원천에서, 열기는 또 다른 특정한 원천에서 나오듯이, 우리의 지적 능력 또한 어디에선가 왔습니다. 아무것도 무(無)로 돌아가지 않듯이 어떤 것도 무(無)로부터 나오지 않는 까닭입니다.

5. 태어남과 같이 죽음도 자연의 신비입니다. 태어남이 여러 요소들의 결합이라면, 죽음은 그 요소들의 풀림입니다. 죽음엔 부끄러워할 것이 전혀 없습니다. 죽음은 지적인 피조물에게 걸맞은 것일 뿐만 아니라, 그 피조물의 원리와도 모순되지 않습니다.

6. 사람의 이런 특징을 고려하면, 당연히 필연적으로 생기는 것이 있습니다. 그렇지 않기를 바라는 것은 마치 무화과에서 단즙을 바라지 않는 것과 같습니다. 어떻든지 순식간에 당신도 저 사람도 죽게 되고, 곧 당신의 이름마저도 흔적 없이 사라진다는 것을 명심하십시오.

7. 판단을 멈추십시오. 그러면 '내가 상처를 받았다.'라는

---

5 고대 로마인은 자유시민과 노예의 두 집단으로 구분되었다.

마음도 사라집니다. '내가 상처를 받았다.'라는 마음을 버리십시오. 그러면 상처도 사라집니다.

8. 더 나쁜 사람이 되지 않는 이상 자신의 인생 또한 더 나쁘게 만들지 못하고, 내적으로나 외적으로나 전혀 상처가 생기지 않습니다.

9. 유익한 본성은 필연적으로 유익함을 발생시키는 것을 말합니다.

10. "어떤 일들이 모두 함께 일어날 때는 정의와 함께 일어나느니라." 자세히 살펴보면, 이 말은 어디 하나 틀린 게 없습니다. 이것이 의미하는 바는, 원인과 결과가 함께할 뿐만 아니라, 마치 (각자의) 공적에 따라 어떤 분이 정의롭게 분배한 것처럼 일이 일어난다는 뜻입니다. 그러므로 계속 면밀하게 살피십시오. 당신의 시작이 그러하듯, 무엇을 하든지 좋은 사람이 되는 일에 관련을 맺으십시오. 이것을 당신이 하는 모든 행동에서 지켜나가십시오.

11. 당신을 잘못 판단하는 사람들처럼 사물을 바라보지 마십시오. 혹은 당신이 그들을 판단하고 싶은 대로 사물을 바라보지 마십시오. 사물들을 참되게 보십시오.

12. 다음 두 가지 원리를 늘 적용해야 합니다. 첫째, 입법 능력이 있고 관리할 수 있는[6] 상태에서 인간을 도우라고 이성이 권하는[7] 것은 무엇이나 행하십시오. 둘째, 만약에 누군가 곁

에서 당신이 공평을 지키고 사적인 생각에서 벗어나게 해준다면, 이때는 당신의 생각을 고치십시오.

하지만 생각을 고칠 때는, 항상 정의롭고 사회에 유익이 된다는 확신에 근거해야 합니다. 반드시 그럴 만한 이유가 있어야 하며, 쾌락이나 인기를 위해서 생각을 고쳐서는 안 됩니다.

13. "(밝은) 이성이 있는가?"

"예."

"그렇다면 왜 이성적으로 살지 않는가? 이성에 따라 산다면 그 이상 바랄 게 없느니라."[8]

14. 세계의 부분으로 존재하던 그대는, 그대를 생성한 것 속으로 사라지리라. 또한 그대는 변화를 만들 때마다 생성의 씨를 뿌리는 이성 안으로 스며들리라.

15. 같은 제단에서 향의 가루가 먼저 떨어진들 후에 떨어진들 무슨 차이가 있는가?

16. 세상 사람들이 그대를 원숭이나 짐승 취급하여도, 만약 그대가 자신의 원칙으로 향하고 이성을 경배한다면 열흘 안에 신이 되리니.

---

6   원문에서 '왕다운'을 번역한 표현이다.

7   원문에서 '귀띔'을 번역한 표현이다.

8   13절에서 18절까지는 인용된 경구로 이루어져 있다.

17. 천년만년 살 것처럼 행동하지 말라. 피할 수 없는 죽음이 머리 위에 맴도나니, 살아 있는 동안 될 수 있는 대로 좋은 사람이 될지어다.

18. 곁에서 무슨 말과 행동 어떤 생각을 하든지, 오직 자신이 행하는 것 즉 올바르고 성스럽고 선한 사람을 따르는 것에 마음을 쓸 때, 그 사람은 얼마나 마음이 편안한 가. 주변의 나쁜 관습을 곁눈질하지 말고 목표의 끝점을 향해 곧장 달려가라.

19. 자신의 사후 명성을 신경 쓰는 사람은, 자신을 기억하는 자들도 곧 죽는다는 것을 보지 못하는 것입니다. 그 후 불빛이 반짝하다가 꺼지는 것처럼, 죽음을 따라 모든 기억이 사라지기 전에 죽은 이의 기억을 넘겨받은 자도 죽게 됩니다.

당신을 기억하는 사람들이 불멸이어서 당신에 대한 기억이 사라지지 않는다고 가정해도, 이것이 당신에게 무슨 소용이 있을까요? 칭송은 죽은 자에게 아무런 의미도 없을 뿐만 아니라, 산 자에게도 어떤 현실적인 소용이 없기에 의미가 없습니다. 단지 지금 형편에서 후대 사람이 말하는 것에 신경 쓰느라 자연의 선물을 소홀히 하는 것입니다.

20. 더구나 온갖 종류의 아름다움은 그 자체로 아름답고 그 자체로 완성되며, 칭송이 아름다움을 구성하지는 않습니

다. 어쨌든 칭송받는다고 해서 어느 것도 더 나빠지거나 더 좋아지지 않습니다. 이것은 사람들이 대중적으로 아름답다고 말하는 자연물과 예술품에도 적용됩니다.

아름다움에 진정 무엇이 필요할까요? 법, 진리, 호의, 경건에는 다른 어떤 것도 필요치 않습니다. 이 중에 어느 것이 칭송받는다고 아름다워지고 비난받는다고 추해질까요? 에메랄드가 칭송이 없어 추해질까요? 황금, 상아, 자색옷, 수금, 검, 꽃, 나무는 어떨까요?

21. 혼령들이 계속해서 떠돌아다닌다면 대기는 이들을 어떻게 영원히 품으며, 대지는 어떻게 장사(葬事) 치른 몸들을 영원히 품을까요? 육체들이 대지에 잠시 머물다가 썩고 해체되어 다른 사체에 그 자리를 내주듯이, 대기로 옮겨진 혼령들은 잠깐 모였다가 변하고 해체되어 만물을 생성하는 원리 속으로 받아들여져 태워진 후에 다음 혼령들에게 자리를 넘겨줍니다. 이것이 혼령들이 존속한다고 생각하는 자들에게 하는 대답입니다.

하지만 이렇게 장사 치른 온갖 시신들뿐 아니라, 날마다 우리와 짐승들이 먹어 치우는 다른 동물도 생각해 보아야 합니다. 이 많은 동물이 잡아먹히고 자신을 잡아먹은 포식자의 몸속에 쌓여 피가 되고 화기(火氣)로 변해 자리를 차지합니다.

이 경우에 진리를 어떻게 탐구할 수 있을까요? (변하는)

물질과 (변하지 않는) 그 원인[9]을 구분하는 것입니다.

22. 정신적으로 방황치 말고, 급할수록 바른 관계를 맺고, (떠오르는) 온갖 상상에는 좋은 판단의 여지를 남기십시오.

23. 오, 우주여! 당신에게 잘 어울리는 것이 나에게도 잘 어울립니다. 당신의 때에 잘 맞는 것은 내게 이르지도 늦지도 않습니다. 오, 자연이여! 당신의 사계절이 선사하는 모든 것은 나에게 과일 열매랍니다.

만물이 당신에게서 나오고 당신 안에 내재하고 당신에게로 돌아갑니다. 시인[10]이 "케크롭스 왕[11]의 소중한 도시여!"라고 노래 부르니, 당신은 "오, 제우스의 소중한 도시[12]여!"라고 말하지 않겠습니까?

24. 데모크리토스가 말했습니다. "만족을 원한다면 일을 줄일 것." 하지만 이보다는 꼭 필요한 일과 본래 사회적인 인

---

9 아리스토텔레스의 '질료'와 '형상'에 해당하는 개념이다. 조각상을 예로 들면, 질료는 대리석이고 형상은 그 인물의 형태를 말한다. 아우렐리우스는 '형상'이란 말 대신에 '원인'이라는 말을 쓰지만, 아리스토텔레스의 '형상'과 유사한 개념으로 이해된다. 역자는 맥락에 따라 질료와 형상, 또는 재료와 형상, 물질과 원인 등으로 번역했다.

10 카셀-오스틴(Kassel-Austin)이 편집한 그리스 희극 작가 아리스토파네스의 『조각글』112.

11 그리스 신화에 나오는 최초의 아테네 왕. 여기서 '케크롭스의 도시'는 아테네 시를 말한다.

12 큰 도시로서의 우주를 말한다. 아우렐리우스는 신들과 신을 구분 없이 사용한다. 여기서는 신의 대표로 제우스를 말한다.

간으로서 이성이 요구하는 바를 이성이 요구하는 대로 행하는 것이 더 낫지 않겠습니까? 이렇게 하면 선을 행하여 얻은 만족뿐만 아니라, 일을 줄여서 얻은 만족도 오기 때문입니다.

우리가 말하고 행하는 것은 대개가 꼭 필요한 일이 아니니, 그것을 버리면 여유로워지고 번민도 사라집니다. 그러니까 꼭 필요한 일인지 항상 명심하고 따져보십시오. 불필요한 행동뿐만 아니라 불필요한 상상도 반드시 버리십시오. 그렇게 하면 그릇된 행동을 하지 않을 것입니다.

25. 자연 만물로부터 자신에게 주어진 것에 즐거워하고, 자신의 바른 행동과 친절한 성품에 만족하는 좋은 사람의 삶이 당신에게 맞는지 되돌아보십시오.

26. 당신이 이와 같은 것을 고려했다면 이제 다음을 보십시오. 복잡하게 생각하지 말고 진정으로 자신을 단순케 하십시오. 누군가가 잘못을 저질렀나요? 그는 자기 자신에게 잘못한 것입니다.

당신에게 무슨 일이 생겼나요? 좋습니다. 당신에게 생긴 일은 처음부터 만물이 당신에게 정해놓고 실을 짜듯이 배정해놓은 것입니다. 요약하건대 인생은 짧으니 사려 깊고 올바른 행동으로 현재에 유익이 되도록 하십시오. 편안하게 깨어 있으십시오.

27. 우주의 배치는 진정 정연하거나 산만하게 뒤섞여 있

지만 그것은 질서를 만듭니다. 그렇지 않다면 만물 속에는 우주가 없는 것인데, 어떻게 당신 안에 우주가 있을 수 있나요? 만물이 구별되면서 완전히 섞이기도 할 때, 함께 끌어당기며[13] 연결되는 것이 가능합니다.

28. 음흉한 성격, 대장부답지 않은 성격, 완고한 성격은 짐승 같고, 유치하고 어리석으며, 천하고 굽실대며 잇속만 챙기는[14] 폭군의 것입니다.

29. 우주 속에 있는 것을 모르는 자가 우주에 문외한이듯, 그 속의 사건들을 모르는 자도 그에 못지않은 문외한입니다. 더불어 사는 이성을 피하는 자는 회피자이고, 분별의 눈을 감은 자는 소경입니다. 남을 의지하느라 삶에 필요한 온갖 것을 스스로 얻지 못한 자는 걸인입니다.

일어난 일에 짜증을 냄으로써 본래 공유된 이성에 등 돌려 물러서는 자는 우주의 혹 덩어리입니다. 당신을 낳은 자연이 이성을 주었음에도 불구하고 이성적인 존재들에게서 지성을 떼어내는 자는 사회에서 깨어져 나간 파편에 불과합니다.

30. 어떤 자는 옷도 입지 않고, 어떤 자는 책도 없이, 또 어떤 자는 거의 헐벗은 채 철학을 추구하며 "내가 빵은 없지만 이

---

13   원문에는 '쉼파돈(συμπαθῶν)', 즉 '공감'으로 되어 있다. 감정이나 윤리 외에도 자연 현상을 같은 이치로 통찰했다는 것을 알 수 있다.

14   원문은 '장사치 같은'이다.

성에 충실하다."[15] 하니, 나도 학문으로 생계를 꾸리는 학자는 아니지만 학문에 충실하다고 감히 말합니다.

31. 당신이 익힌 기예를 사랑하고 간직하십시오. 당신의 남은 생에 자신의 전부를 진심으로 신에게 맡기고, 자신을 누군가의 폭군이나 종으로 만들지 마십시오.[16]

32. 가령 베스파시아누스[17]의 시절을 생각해 보십시오. 모든 사람이 장가가고, 자식 키우고, 병들고, 죽고, 전쟁하고, 축제 절기를 지키고, 장사하고, 농사짓고, 아부하고, 자랑하고, 의심하고, 일을 꾸미고, 누군가가 죽기를 빌고, 자신의 처지를 불평하고, 사랑하고, 재물을 쌓고, 집정관직을 바라고, 왕위를 바랐던 것을 보십시오. 하지만 이들의 삶은 이제 어느 곳에도 남아 있지 않습니다.

다시 트라이야누스[18] 시절로 넘어가 보십시오. 모두가 이전 사람들과 똑같았지만 이들의 삶도 사라졌습니다. 마찬가지로 여러 시대와 민족의 다른 기록들을 살피십시오. 얼마나 많은 사람이 애를 쓰다 순식간에 쓰러져 물질로 분해되었는지 보십시오.

---

15   견유학파를 말한다.
16   스토아주의에 따르면, 모든 인간은 이성을 공유하기 때문에 서로를 동등하게 대우해야 한다.
17   로마의 황제로, 네로의 몰락 이후인 69~70년에 재위하였다.
18   98~117년에 재위한 로마 황제.

특히 당신이 알고 있는 자들 가운데 허세를 떨면서 자신의 소질대로 살지 않고 자족하기를 소홀히 한 자들을 떠올려 보십시오. 각자 자신의 실천에서 진정 관심을 가져야 할 것은 제각기 가지고 있는 자신의 가치와 몫입니다. 사소한 일에 과도하게 관여하지 않는다면 좌절할 일도 없을 것입니다.

33. 전에 익숙했던 말들이 지금은 옛말인 것처럼, 전에 칭송이 자자했던 자들의 명성도 지금은 한낱 옛말입니다, 카밀루스,[19] 카이소,[20] 볼레수스,[21] 덴타투스[22]가 그렇습니다. 그 후에는 스키피오와 카토, 그 후에는 아우구스투스[23]가, 또 그 후에는 하드리아누스[24]와 안토니누스[25]가 그렇습니다.

전부 곧 사라져 옛이야기가 되고 완전히 잊혀져 묻힙니다. 놀랍게 빛을 발하던 자들도 그랬습니다. 다른 자들은 숨이 끊어짐과 동시에 "보이지도 들리지도 않습니다."[26] 무엇이 영원한 기억일까요? 완벽한 허무만 남습니다.

---

19 4세기에 활약한 로마 정치인.
20 로마 귀족이었던 카이소 파비우스로 추측된다.
21 로마 공화정 초기의 정치인.
22 유명한 집정관이었다.
23 로마 제국의 초대 황제.
24 로마 제국의 14대 황제.
25 아우렐리우스의 양부(養父)였던 안토니누스 피우스.
26 호메로스의 『오디세이아』 1권 242행 "눈에 띄지 않고 소식도 없이 사라져"라는 표현을 언급한 것으로 추측된다.

그러니 과연 무엇에 힘써야 할까요? 오직 이것 하나, 올바른 정신, 공통의 선을 위한 행동, 진실한 말, 그리고 일어난 온갖 것을 필연적인 것으로, 친숙한 것으로, 우리와 동일한 시작과 원천에서 나온 것으로 받아들이는 성정입니다.

34. 당신을 기꺼이 클로토 여신[27]에게 맡기고 여신이 원하는 대로 운명의 실을 짜도록 하십시오.

35. 기억하는 것도 기억되는 것도 온통 덧없는 것입니다.

36. 자연 만물은 변하며 생성한다는 것을 끊임없이 살피십시오. 그리고 우주의 본성은 존재하는 것을 변화시켜서 동종의 새로운 것을 만들기를 가장 좋아한다고 생각하는 데 익숙해지십시오. 어떤 의미에서, 존재하는 온갖 것은 거기서 생겨날 것의 씨앗[28]입니다. 당신은 대지나 자궁 속에 뿌려지는 씨앗만 떠올리지만 그것은 매우 어리석은 것입니다.

37. 당신은 곧 죽을 터인데, 아직도 (인생의) 목표가 일정치 못하고, 동요하고, 외부로부터 상처를 받을까 봐 의심하고, 모든 사람에게 자비롭지 못할 뿐만 아니라, 지혜는 올바르게 행동할 때만 머문다는 것을 깨닫지 못하고 있습니다.

38. 지도자들이 무엇을 피하고 무엇을 추구하는지 주목하여 보십시오.

---

27   운명의 여신 중 하나로서 생명의 실을 잣는다.
28   스토아주의에서는 신의 원리로 알려진 "씨앗 원리"가 만물에 퍼져 있다고 여겼다.

39. 당신에게 닥친 악은 다른 지도자 때문도 아니고, 당신의 바뀐 환경이나 변화 때문도 아닙니다. 그렇다면 무엇 때문일까요? 악이라고 판단하는 당신 '자신' 때문입니다. 거기서 판단하지 않으면 만사는 다 좋습니다.

하지만 판단하는 부분과 가장 가까운 사지가 잘리고 불타고 썩어 문드러져도, 판단하는 부분을 남기기 위해 침묵하십시오. 악인과 선인에게 똑같이 일어날 수 있는 것을 '악이다.' 혹은 '선이다.'라고 판단치 못하게 하십시오. 자연을 거스르며 사는 사람이나 자연을 따르면서 사는 사람에게 똑같이 발생하는 일은 자연에 순응하는 것도 거역하는 것도 아니기 때문입니다.

40. 우주는 하나의 질료[29]와 하나의 영혼을 지닌 한 생명이라고 끊임없이 생각하십시오. 어떻게 만물이 우주의 단일한 감각 속으로 흡수되어 가고, 어떻게 만물이 하나의 충동[30]으로 생겨나고, 어떻게 만물이 발생을 위한 협력자인지, 그리고 어떻게 서로 얽히고설켰는지를 곰곰이 생각해 보십시오.

41. 에픽테토스가 말하곤 했듯이 "당신은 주검을 짊어진

---

29 원문에는 '우시아(οὐσία)', 즉 '실체'로 되어 있다. 실체는 간혹 '휠레(ὕλη)'라는 '질료'의 의미로도 쓰인다.

30 '충동'은 스토아주의에서 전문용어로 사용하는 '호르메(ὁρμή)'인데, 이성이 대상을 향해 나아가는 운동을 의미한다. 이성이 운동을 하게끔 자극하여 신체에 운동이 발생한다.

작은 영혼입니다."

42. 변화의 고통을 당하는 것에는 어떤 악도 없으니, 마치 변화하여 나온 결과물에 선이 없는 것과 같습니다.

43. 영원은 생성되는 것들의 강력한 소용돌이입니다. 생성되는 개체들은 보이자마자 휩쓸려 가는데, 다른 것도 떠내려오면 이것도 휩쓸려갈 것이기 때문입니다.

44. 일어나는 모든 일은 봄 장미나 여름 과일처럼 익숙하고 친숙한 것입니다. 질병과 죽음, 비방과 계략, 미련한 자들을 기쁘게 하거나 슬프게 하는 것도 이와 같습니다.

45. 연속되는 것은 먼저 있었던 것들과 늘 긴밀하게 연결됩니다. 그것은 분리된 개별 개체의 열거가 아니라 필연적인 연속으로 일어나는 합리적인 결합이기 때문입니다. 이미 존재하는 것들이 서로 조화롭게 연결되어 함께 작용하듯이, 새로 생성하여 존재하는 것도 기존의 것들과 놀라운 긴밀함을 보여줍니다. 이는 단순한 연쇄적 발생이 아닙니다.

46. 헤라클레이토스의 말[31]을 늘 기억하십시오. "흙의 내어줌으로 물이 탄생하고, 물의 내어줌으로 공기가 탄생하고,

---

31　아우렐리우스의 의역에서 헤라클레이토스의 원래의 말을 유추하기란 쉽지 않다. 즉 논리적 전개가 좀 이상하다. 아우렐리우스는 헤라클레이토스의 권위에 의존해서 물, 불, 흙, 공기의 본성, 사람들의 비이성적 행동 등을 말한다. 딜즈/크란츠(Diels/Kranz)가 편집한 『조각글』 71-74, 76 참조.

공기의 내어줌으로 불이 탄생하며, 불의 내어줌으로 흙이 탄생한다." 그리고 "자신의 길이 어디로 나 있는지 잊고 있는 사람"이라는 그의 말도 기억하십시오.

"그들이 가장 지속적으로 지니고 다니는 이성, 즉 만물을 다스리는 이성과 불화한다."라는 말, "그들이 날마다 겪는 일이 그들에게 낯설어 보인다."라는 말, "잠자는 사람처럼 말하고 행동하지 말지니, 그렇게 보이기 때문이다."라는 말, "알몸뚱이 아이에게 하는 것처럼 들은 대로 그 행동을 받아주어선 안 된다."라는 말도 명심하십시오.

47. 어떤 신이 당신에게 내일이나 늦어도 모레는 어쨌든 죽을 것이라고 말한다 해도 내일이 됐든 모레가 됐든 미천한 자가 아닌 이상 괘념치 않을 것입니다. 그 둘 사이에 무슨 차이가 있겠습니까? 마찬가지로 내일보다 더 오래 산다고 하더라도 그것을 대수롭지 않게 여기십시오.

48. 이것을 항상 마음에 굳게 새기십시오. 얼마나 많은 의사가 병자들 때문에 자주 눈살을 찌푸리다 죽었으며, 얼마나 많은 점성가가 큰일인 양 남의 죽음을 예언하다 죽었으며, 얼마나 많은 철학자가 죽음과 불멸을 골백번 변론한 후에 죽었나요?

그리고 얼마나 많은 장수가 무수한 살육을 하다 죽었으며, 얼마나 많은 군주가 마치 자신들은 불멸할 것처럼 생사의 권력을 휘두르다가 죽었으며, 헬리케, 폼페이, 헤르쿨라네움, 그리고 이렇게 표현하는 것이 마음에 편치 않지만, 얼마나 수많은 기타 도시국가들이 멸망했나요?

당신이 아는 자들을 각각 떠올려보면, 한 사람이 다른 사람을 묻어주더니 자신도 묻히고, 또 다른 사람이 뒤를 잇곤 했지요. 이 모두 삼간입니다. 즉 인간사란 하루살이처럼 얼마나 덧없고 하찮은 것인가요?

어제는 한 줄기 정액이더니 내일은 주검이고 재가 되는군요. 순간을 자연에 맞춰 살고 즐거이 떠날 것이니, 올리브가 익으면 낳아준 대지를 찬미하고 길러준 나무에 감사하며 떨어지는 것과 같습니다.

49. 파도가 끊임없이 곶(串)에 부딪힐 때처럼, 저 바위가 되어 꿋꿋이 버티며 거품 이는 물결 주위를 잠재우십시오.

"이런 일이 생기다니 나는 불행하구나." 그렇지 않습니다. 이렇게 말하십시오. "이런 일이 생겼는데도 슬프지 않고, 현재에 의해 부서지지도 미래를 두려워하지도 않으니 나야말로 행운아구나." 궂은 일은 모두에게 생기지만 이것 때문에 속상하지 않은 자는 드뭅니다.

어떻게 후자를 행복이라 하지 않고 전자를 불행이라 하겠습니까? 그런데도 당신은 본래 실패하지도 않은 인간을 불행하다고 말하고, 인간이 본래 원하는 것에서 어긋나지도 않는 것을 인간 본성에서 벗어났다고 생각하나요?

이 원함이란 무엇인지요? 당신은 인간이 원하는 것이 무엇인지 이미 배웠습니다. 그런데 당신이 원하는 일이, 당신이 공정하고, 고결하고, 삼가 행하고, 지혜롭고, 신중하고, 진실하고, 염치 있고, 자유롭게 되는 것을 방해하고, 그 밖에도 본래적으로 인간이 한낱 속물로 전락하도록 만드나요? 그러니 미래에 당신을 온갖 시름에 들게 하는 사건이 생길 때마다 이것을 기억하십시오. 이것은 불행이 아니며, 이것을 고귀하게 견디는 것이 본래 행복입니다.

50. 목숨에 끈질기게 매달렸던 자들을 돌이켜 보는 것은 하찮은 일 같지만 죽음을 무서워하지 않는 데 유익합니다. 그들이 요절한 자들보다 무엇을 더 얻은 걸까요? 카디키아누스, 파비우스, 율리아누스, 레피두스[32] 같은 사람들은 (죽은) 이들을 많이 운구하더니 결국 자신들도 운구되어 곳곳에 누워 있지 않나요?

한마디로 말하자면, (더 살아봤자) 그 세월은 짧습니다. 그 기간 동안 얼마나 많은 일을 하고, 얼마나 많은 사람을 경험하고, 또 얼마나 형편없는 몸이 되어 최후까지 끌려 다녔나요? 다 별일 아니었습니다. 보십시오. 이후는 영원하고 이전은 무

---

[32] 안토니우스, 옥타비아누스 등과 함께 삼두 정치 때 집정관이었다.

한하니, 갓 태어난 초사흘 아기나 삼 대를 본 노인[33] 사이에 무슨 차이가 있을까요?

51. 늘 둘러 가지 않는 길을 택하십시오. 자연을 따르는 것이 지름길입니다. 그러면 온갖 언행이 건전하게 됩니다. 그와 같은 계획이 시름과 망설임, 온갖 통제와 위선에서 구해주기 때문입니다.

---

[33] 원문에는 '세 배를 산 게레니아 사람'으로 되어 있다. 신화에 따르면 게레니아의 사람은 네스토르를 말한다.

명상 포인트

1. 외부의 대상이나 환경에 흔들리지 않고
내면을 보존하는 법은?

2. 한없는 평온에 즉시 들어가는
사람의 특징은 무엇인가?

3. 만족을 위해서
필요한 것은 무엇인가?

4. 재물, 명예, 권력보다 더
값진 것은 무엇인가?

5권 결단의 장애물

1. 동틀 때 일어나기 싫거든 마음에 새기십시오. "인간으로서 일하기 위해 일어난다." 그 때문에 내가 태어났고, 세상에 나온 이유인 그 일을 하는데 어찌하여 불평할까요? 설마 침대에 누워 몸이나 데우자고 이렇게 태어났단 말인가요? "하지만 이게 더 즐거운걸요." 그렇다면 쾌감을 위해 세상에 나왔단 말인가요? 간단히 말해 당신은 쾌감을 위해서 존재하나요, 아니면 행동을 위해 존재하나요?

작은 식물과 참새, 개미, 거미, 꿀벌이 우주를 구성하기 위해 나름대로 각자의 일을 하고 있는 것이 보이지 않나요? 그런데 당신은 인간의 일을 행하지 않겠다는 건가요? 당신의 본성에 일치하는 일을 향해 달려가지 않겠다는 건가요?

"하지만 휴식도 필요해요." 당연합니다. 하지만 먹고 마시는 데에 정해진 때가 있듯 휴식에도 때가 있는 법입니다. 그런데 어떤 행동도 경계를 넘어서지 말라는 당신은 정작 필요 이상으로 쉬고 있군요. 사실 당신은 그 이상 일할 능력이 없는 것입니다.

이것은 당신 자신을 사랑하지 못하기 때문입니다. 만약에 사랑한다면 본래의 자신과 자신이 원하는 것을 사랑합니다. 자신의 기예를 사랑하는 자는 씻는 것도 잊고 식사까지 거르면서 자신의 작품에 심취합니다.

하지만 당신의 경우에는 주물공이 주물을, 춤꾼이 춤사위를, 구두쇠가 돈을, 헛된 명예를 좇는 자가 헛된 명예를 중히 여기는 것보다도 본래의 자신을 중히 여기지 못하고 있습니다. 이들도 열중할 때는 먹고 자느라 일을 포기하기보다는 자신의 일에만 집중합니다. 당신은 공동의 선을 위한 행동이 이보다 더 하찮고 더 못하다고 생각하나요?

2. 번잡스럽고 맞지도 않는 상상은 버리고 즉시 고요함에 이르는 것이 얼마나 만족스러운지요.

3. 자연을 따라 본래의 자신에게 어울리는 갖가지 언행을 가치 있게 여기십시오. 뒤따르게 될 타인의 말이나 날카로운 비난에 신경 쓰지 마십시오. 자신에게 어울리는 언행을 올바르게 취했다면 자신의 가치를 고귀하게 여기십시오. 비난은 저마다 권위를 갖고 자신의 충동에 따르기 때문에 생깁니다.

당신은 거기 기웃거리지 말고 본래의 자신과 공동체를 향해 똑바로 걸어가십시오. 그 길은 둘이 아니라 하나입니다.

4. 본래의 길을 따라 나아가다가 내가 날마다 내쉬었던 숨, 그 숨을 거두고 쓰러져 멈출 것입니다. 내 부친의 씨와 모친의 피, 유모의 젖이 나왔던 그 대지에 쓰러질 것입니다. 대지는 그토록 오랜 세월 동안 날마다 먹고 마실 것을 제공했습니다. 내가 그렇게 수많은 방식으로 가능한 모든 것을 이용한 대지가 나의 발자국을 지니고 있습니다.

5. 사람들이 당신의 명민함에 감탄하며 우러러보지 않아도 당신에게는 "그런 타고난 재능은 없어요."라고 말할 수 없는 다른 특징들이 있습니다. 그러니 전적으로 당신에게 있는 온갖 것들 즉 성실, 위엄, 인내, 쾌락에 대한 반감, 운명에 대한 사랑[1], 검소, 자애, 자유, 자제, 신중함, 고결함을 보여주십시오.

타고난 것이 없다거나 부족하다고 핑계를 대지 않으면서도 얼마나 많은 것을 보여줄 수 있는지 당신은 알지 못합니까? 그런데도 자진해서 밑바닥에 머물러 있겠다는 겁니까? 투덜대고, 빈정대고, 아첨하고, 기껏 당신의 몸뚱이를 탓하고, 알랑거리고, 잘난 척하면서, 선천적으로 어떤 재능이 갖춰진 게 아니라 하여 당신의 지성을 무시한단 말인가요? 절대로 그러지

1 　원문에는 '운명에 불평 없음(ἀμεμψίμοιρος)'으로 되어 있지만 스토아주의의 전형적인 '운명의 사랑(amor fati)' 사상이기 때문에 역자가 의역을 했다.

않겠다고 신 앞에 맹세하십시오.

오히려 당신은 이미 훨씬 전에 이런 밑바닥에서 벗어날 수 있었습니다. 그렇지만 스스로를 좀 어리석고 미련한 자로 여겼을 것입니다. 당신의 우둔함을 내버려 두거나 즐기지는 마십시오. 자신을 훈련하십시오.

6. 어떤 사람은 누군가에게 선행을 할 때마다 자신에게 돌아올 이익을 먼저 따지지만, 또 어떤 사람은 먼저 따지지 않고 선행을 하며 오히려 마치 자신이 빚진 것처럼 선행을 해야만 한다고 여깁니다. 반면에 또 어떤 사람은 자신이 선을 행했다는 것조차 모릅니다. 이는 포도송이가 가득 열려 있으나 일단 제 열매를 맺은 뒤에는 아무런 대가도 바라지 않는 포도나무와 같습니다.

경주로를 달리는 말, 사냥감을 쫓는 개, 꿀을 모으는 벌도 아무런 대가를 바라지 않지요. 자신의 일을 잘하는 사람은 그것에 대해 야단법석을 떨지 않고, 단지 되풀이하여 또 다른 일을 할 뿐입니다. 마치 포도나무가 때가 되면 다시 포도를 맺는 것과 같은 이치입니다.

이와 같이 무의식적으로 일을 해야만 할까요? "그렇고말고요. 그러나 이것을 이해해야만 합니다. 단지 자신은 공적인 일을 하는 것으로만 인식하고 이웃도 그렇게 알기를 원하는 것이 사회생활을 하는 자[2]의 특징입니다." 무의식적으로 선을 행해야 한다는 당신의 말도 맞지만, 내 말을 잘못 이해한 것입니다. 당신도 내가 이전에 말했던 자들처럼[3] 될 것입니다. 그들이 그릇된 길에 빠져든 데에도 어떤 그럴듯한 이유가 있었습니다. 내 말의 참된 의미를 알았다면 공익에 해를 끼칠까 봐 두려워하지 마십시오.

7. 아테네인들의 기도.

"비를 내리소서, 비를 내리소서,

오, 나의 제우스여, 밭에

아테네인들의 저 평원에."

기도를 아예 하지 말거나 하려거든 이렇듯 순수하고 솔직하게 하십시오.[4]

8. 다음과 같은 얘기가 전해집니다. "아스클레피오스[5]가 어떤 사람에게는 말타기를, 어떤 사람에게는 찬물에 목욕하기를, 또 어떤 사람에게는 맨발로 다니기를 처방했다." 마찬가지로 우리는 이렇게 말할 수 있습니다. "본래의 우주가 사람들 각각에게 질병, 불구, 피해, 기타 유사한 것을 처방했다." 전자에

2   여기서는 인정을 받기 위해 선을 행하는 자를 말한다.
3   선을 알고 행하는 것을 반대하는 자들을 말한다.
4   자신만을 위한 기복적 기도가 아니라 공동체를 위한 기도를 강조한다. 173년 쿠아디족 전투에서 로마군이 포위되어 항복해야 할 위기에 처했을 때, 아우렐리우스의 기도로 폭우와 번개가 일어나 쿠아디족이 공포에 질려 달아났었다. (로마의 아우렐리우스 기둥 16판에 이 사실이 묘사되어 있다.) 하지만 다시 마르코만니족과 쿠아디족의 반란이 일어났고 황제는 전장에서 전염병으로 숨을 거두었다.
5   고대 그리스의 의예(醫藝)의 신.

서 '처방했다'는 환자의 건강을 위해 처방되었다는 의미이고, 후자에선 각자의 운명에 적합하게 어떤 일들이 처방됐다는 의미입니다.

이렇듯 우리에게 무엇이 적합하다고 말할 때는, 석공들이 네모난 돌들을 성벽이나 피라미드에 맞출 때 서로 적합하다고 말하는 것과 같습니다. 일반적으로 하나로 통하는 어울림이 있습니다. 물체 전체가 결합하여 한 몸, 우주가 되듯이, 모든 원인이 결합하여 하나의 원인, 즉 운명이 됩니다.

아주 평범한 자도 내 말을 알아차리니 "그것이 그에게 주어진 것이다."라고 말합니다. 결국 주어진 것이 처방이니, 아스클레피오스가 처방한 것처럼 일어난 일들을 받아들이도록 하십시오. 그 안에 쓰디쓴 것이 많아도 건강을 소망하며 받아들이십시오.

당신의 건강을 살피듯, 똑같은 방식으로 전체 자연에 유익하도록 일의 완성과 성취를 바라보아야 합니다. 비록 그 과정에서 일어나는 일로 고달파진 듯해도, 모두 받아들이도록 하십시오. 그것이 우주의 건강으로, 즉 제우스의 행복과 성공으로 나아가게 하기 때문입니다. 제우스는 전체에 이득이 되지 않으면 그런 일을 누구에게도 보내지 않는 법입니다. 어떤 자연도 자신이 관장하는 존재에게 적절하지 않은 것을 보내지 않습니다.

그러니 당신은 두 가지 이유로 자신에게 생긴 일을 기뻐하십시오. 첫째, 그것은 당신에게 일어났고, 당신을 위해 처방되었으며, 운명의 실이 위로부터 그러니까 시초의 원인에서부터 당신에게 이어졌기 때문입니다.

둘째, 우리 모두에게 개별적으로 오는 일들은 전체의 행복과 완성의 원인이 되고, 반드시 전체를 유지하는 데까지 이르게 됩니다. 또한 그건 마치 결합체와 연결체에서 한 조각만 떼어내도 그로 인해 전체의 완전성이 훼손되는 것과 같습니다. 그런데 당신은 힘들 때마다 할 수 있는 한 고통을 잘라냅니다. 어떤 의미에서는 전체를 파괴하고 있는 것입니다.

9. 올바른 원칙에 따라 당신이 행한 일이 모두 완전히 성취되지 않았다고 해서 넌더리내거나 포기하거나 분노하지 마십시오. 실패했다면 다시 회복하면 되고, 당신의 행동 대부분이 인간 모두에게 큰 가치가 있다면 그것으로 기뻐하십시오.

회복하는 일에 힘쓰십시오. 철학을 함으로써 회복하되 학생이 선생님을 찾듯 하지 말고, 오히려 따가운 눈병을 앓는 환자가 해면과 세안컵[6]을 찾듯, 또 다른 환자가 고약이나 습포(濕布)를 찾듯 하십시오. 그러면 당신이 이성을 찾는 것은 뜻을 굽혀 굴종하는 것이 아니라 거기서 편안하게 쉼을 취하는 것이 됩니다.

---

6   달걀 모양을 한 의료용 컵을 말한다.

철학은 오직 당신이 본래 욕망하는 것만 원함을 기억하십시오. 하지만 당신은 본래적이지 않은 다른 것을 열망하고 있습니다. 그러나 철학보다 더한 즐거움이 어디에 있겠습니까?

감각적 쾌락은 거짓 매력으로 우리를 황홀케 하지 않습니까? 하지만 관용, 자유, 단순성, 숙고, 경건 같은 정신적 가치와 비교한다면 그것이 얼마나 더 즐거움에서 먼 것인지 살펴보십시오. 깨닫는 능력과 지식이 어떤 상황에서도 막힘없이 원활하게 흐르기만을 마음으로 열망한다면 말입니다.

10. 어떤 의미에서 사물은 너무나 가려져 있어서, 적잖은 철학자들과 비범한 자들은 사물을 도무지 확실하게 파악할 수 없는 것으로 여겼습니다. 심지어 스토아학파도 사물을 확실하게 파악하기는 어렵다고 했습니다. 우리가 동의[7]한 모든 합의들도 계속 변하는데 어찌 사람이 변하지 않을 수 있겠습니까?

이제는 감각의 대상들 자체로 시선을 돌려야 합니다.[8] 그것들은 지속되는 시간이 얼마나 짧으며 값싼지요? 그리고 얼마나 쉽게 방탕아나 창녀, 도둑의 소유물로 전락하는지요?

다음엔 감각에 빠진 자들의 인품을 살펴봐야 합니다. 자신의 욕망을 거의 참지 못하는 자는 말할 것도 없고 그중 가장

---

7   스토아 인식론에서는 분명한 인식을 위해 인상이 들어오고 그 인상이 동의를 받아야 행동으로 옮겨질 수 있다.

8   시선을 돌려서 그 불확실함을 파악해야 한다는 의미다.

자애로운 자들조차 자신의 욕망을 견뎌내기 힘들기 때문입니다. 이런 칠흑 같은 어둠과 혼돈 속에서, 시간의 흐름과 변화, 그리고 변하는 물체들의 급류 속에서 존재하는 것들 중 무엇이 높게 평가되는지, 또 무엇을 전적으로 열망해도 되는 것인지 그들은 알 수 없습니다.

반면에 우리는 자연스럽게 해체되기를 기다리면서, 늦는다고 화내지 말고 다음의 사실을 마음에 새기며 평안히 쉬고 자신을 북돋아야만 합니다. 첫째, 본래 내 안에 있는 어떤 본성도 전체를 거스르지 않는다는 것입니다. 둘째, 사람은 자신 안의 신과 신성을 거스르는 그 어떤 일도 행할 수 없으며, 누구도 그것을 당신에게 강제할 수 없다는 것입니다.

11. 지금 나는 무엇을 위해 내 마음을 사용할까요? 매사에 스스로 묻고 점검하십시오. "관리하는 부분[9]으로 불리는 나의 이곳에서 지금 무엇이 작동하고 있나요? 나는 누구의 영혼을 가졌는지 살펴보십시오. 어린아이의 영혼인가요? 소년의 영혼인가요? 여성의 영혼인가요? 권력을 가진 자의 영혼인가요? 길들여진 가축의 영혼인가요? 아니면 들짐승의 영혼인가요?"

12. 대중이 좋다고 여기는 것을 숙고해 본다면 다음과 같습니다. 만일 누군가가 지혜, 절제, 정의, 용기[10] 같은 것을 진정

9 　이성, 즉 '로고스'를 말한다.

10 　이것은 스토아 철학의 4주덕이며 4주덕은 최고의 '좋음'을 지향하고 있다.

한 좋음[11]으로 여겨 이에 대해 깊이 헤아린다면, 이를 마음에 두고 '대중적으로 좋은 것들[12]을 잘 부여받은' 사람의 시에 귀 기울일 수는 없을 것입니다. 그 시가 자신들과 잘 맞지 않기 때문이지요. 하지만 반대로 누군가가 대중이 좋아하는 것을 마음에 두고 있다면 그는 희극 시인[13]의 말에 귀 기울일 것이고, 그에게는 그 말이 적절하기 때문에 쉽게 이해할 것입니다.

이렇듯 대중도 말의 차이를 알 수 있습니다. 희극 시인의 말이 쉽게 이해되지 못한다면 불쾌감을 주거나 거부당하기도 할 것입니다. 하지만 그것이 재물, 사치나 명성과 관련해서 축복으로 해석된다면 적절하고 재치 있는 말로 받아들여질 것입니다. 자, 더 나아가, 우리가 마음속으로 "그는 재물이 많지만, 변 볼 곳도 없어."[14]라는 말을 편안하게 듣고 인용하는 것이 과연 존중할 만한 것인지, 좋은 것인지 물어보십시오.

13. 내가 태에서 생겨나 물질로 구성된 데에는 이유가 있습니다. 이 중에 어떤 것도 소멸하지는 않을 터인데, 어느 것도 무(無)에서 만들어진 것은 없기 때문입니다. 나의 전부는 변하

---

11 플라톤 철학의 개념으로 추측된다. 플라톤의 『국가』에 따르면, '좋음의 이데아'는 4주덕 중의 하나가 아니라, 이 덕들이 왜 좋으며 세상에서 어떻게 구현되어야 하는가를 설명하는 근거다. 덕들의 의미와 가치를 삶의 전체적 맥락에서 드러낼 뿐이다.

12 다음 단락에 나오는 재물, 사치, 명성을 말한다.

13 아테네의 신희극작가 메난드로스.

14 메난드로스의 유실된 작품이라고 추측된다.

여 우주의 일부로 옮겨 가고, 그 일부는 또 우주의 다른 부분으로 변할 것이며, 이 일은 한없이 계속될 것입니다. 이 변화 때문에 나도, 나의 부모도 생겨났으며 이런 과정은 또 한없이 계속될 것입니다. 이렇게 거대한 우주가 일정 주기를 반복하는 것은 조그마한 인간 존재가 생성되는 이치와도 어긋나지 않습니다.

14. 이성과 추리 기술은 그 자체로나 활동 면에서나 충분한 능력입니다. 우리는 본래의 자신들로부터 출발하여 앞에 세워진 목표를 향해 나아가는데, 이런 행위는 이성의 바른 길을 보여주기 때문에 올바르다고 일컬어집니다.

15. 한 인간으로서 본래의 인간성에 어울리지 않는 것들에는 일절 관심을 보여서는 안 됩니다. 그것들은 인간이 요구한 바도 아니고, 본래 인간성이 약속한 바도 아니며, 인간성을 완성하는 바도 아닙니다. 이런 것들에는 인간의 목적이나 그 목적을 이루는 선(善)도 놓여 있지 않습니다.

만일 이런 것 중 인간성에 어울리는 것이 있다면, 그것들을 경멸하거나 저항한다면 인간성에 어울리지 아니할 것이며, 또한 이런 것들이 필요 없다고 확신한다면 칭찬받을 자격도 없습니다. 만일 이런 것들이 선하다면, 이런 것들을 정의와 함께 갖지 못하는 사람은 선하지 않을 것입니다. 하지만 실제로는 어떤 사람이 인간성에 어울리지 않는 것들을 제거하거나 그것들이 제거되도록 허용할수록 더 선하게 됩니다.

16. 당신의 지성은 당신이 떠올리는 상상대로 존재할 것입니다. 즉 당신의 성격은 상상에 의해 빚어지는 것입니다. 그러니 계속되는 상상들로 성격을 빚어가십시오. 이것은 어디서든 잘 살 수 있는 법이니, 궁궐에서 잘 살 수 있다면 어떤 곳에서도 잘 살 수 있습니다.

각각의 생명체는 창조된 목적에 이끌립니다. 그 이끌려진 종착지에 자기완성이 있습니다. 우리는 각자의 이로움과 좋음이 있는 곳에 목표를 둡니다. 이성적 동물로서 좋음이란 더불어 사는 것입니다. 이미 오래전에 우리가 더불어 살기 위해 태어났음이 증명되었습니다. 약한 것은 더 강한 것을 향하고, 더 강한 것은 서로를 향한다는 게 분명하지 않습니까? 생물이 비생물보다 강하고, 이성이 있는 생물체가 단순히 생명만 존재하는 생물체보다 더 강한 것입니다.

17. 불가능한 것을 추구하는 것은 정신 나간 짓입니다. 나쁜 놈이 나쁜 짓을 하지 않는다는 것은 불가능합니다.

18. 본래 감당치 못할 일은 어느 누구에게도 생기지 않습니다. 동일한 일을 또 겪게 된다면, 자신에게 일어났던 일임을 모르거나, 어떤 해도 입지 않고 마음의 위대함으로 견디기 때문입니다. 무지와 인내가 지혜보다 더 강하다는 것은 이상한 일이 [아닙니다.]¹⁵

19. 사물 자체는 좌우간 마음에 닿아 있지도 않고, 마음속

으로 들어갈 방법도 없으며, 마음의 방향을 바꾸거나 움직일 수도 없습니다. 오직 마음만이 스스로의 방향을 돌리거나 움직일 수 있습니다. 사물이 마음에 주어진다는 것은 마음이 사물들에 관하여 그 가치를 판단하는 것과 같습니다.

20. 어떤 점에서 우리에게 가장 편안한 것은 사람입니다. 사람을 선하게 대하고 견디기만 한다면 말이지요. 하지만 어떤 사람이 나에게 어울리는 일을 방해한다면, 그 사람은 태양이나 바람, 들짐승처럼 무심한 것입니다.

무엇인가에 발목이 잡힌다 해도 지성을 사용해 그것들을 보류 조건으로 구분하고 방향을 바꾼다면, 내 동기와 성품은 방해받지 않을 것입니다. 거스르는 온갖 방해를 차단하고 방향을 틀어서 지성이 나아가려는 대상으로 향하십시오. 방해가 오히려 목표 수행에 도움이 되고, 길을 가로막는 장애물이 도리어 길을 여는 수단이 됩니다.

21. 우주의 최고 권능을 경외하십시오. 그것은 만물을 활용하면서 만물을 제어합니다. 마찬가지로 당신 안의 최고 권능을 경외하십시오. 당신 안의 권능도 우주의 권능과 같은 종류인데, 이것이 당신 안의 다른 것을 사용하면서 당신의 삶을 이끕니다.

22. 도시국가에 해롭지 않은 것은 구성원에게도 해롭지

15   A. S. L. Farquharson은 원문의 빈 곳에 "아닙니다"를 추가했다.

않습니다. 그대가 손해를 입었다 여겨질 때마다, 그것이 도시국가에 피해를 주지 않았다면 나에게도 피해가 없다는 이 원칙을 적용하십시오. 반면 도시국가에 해를 입힌 사람이 있을 경우, 그에게 화내지 말고 무엇을 잘못했는지 가르쳐주십시오.

23. 이미 존재하는 것들과 새로 생성되는 것들이 우리 앞을 얼마나 빨리 지나쳐 시야에서 사라지는지 자주 떠올려보십시오. 사물들의 실체는 끊임없이 흐르는 강물과 같고, 그 활동은 쉴 새 없이 변하는데, 그 원인은 다양하기가 그지없고 거의 멈춰 있지도 않습니다.

늘 모든 것이 사라져버리는 과거의 무한한 시간과 입을 쩍 벌린 미래의 심연이 바로 우리 곁에 있습니다. 그러니 이러한 상황에서 우쭐대거나 마음이 산만해지거나, 상당 기간 또는 오랫동안 계속될 고통을 당하는 것처럼 우는 소리를 하는 자야말로 바보가 아닐까요?

24. 당신은 전체의 가장 작은 일부분에 지나지 않지만, 그 전체를 생각하십시오. 순간에 불과한 짧은 시간만이 당신에게 주어졌지만, 시간 전체를 생각하십시오. 당신은 전체 시간의 매우 작은 부분에 불과하지만, 운명을 생각하십시오.

25. 다른 사람이 내게 나쁜 짓을 행하는가요? 그것은 그가 알아서 할 일입니다. 그에게는 나름의 기질과 행동 방식이 있습니다. 나는 지금 일반적으로 본래 내가 갖기를 원하는 바를 갖

고 있으며, 본래 내가 행하기를 원하는 바를 행하고 있습니다.

26. 마음에서 관리하고 주도하는 부분이, 당신 육신 안의 완만하거나 격렬한 움직임에 휘둘리지 않게 하고, 그러한 움직임과 섞이지 않도록 자신의 경계를 정하게 하십시오. 자신을 흔드는 자극들은 그것들이 속한 부분들(감각)에만 국한되게 하십시오.[16]

하지만 여러 자극들이 하나의 몸 안에서 서로 어울리게 작용하여 마음속으로 들어온다면 그때는 그 감각이 자연스러운 것인 만큼 대항하지 마십시오. 또한 당신의 관리하는 이성이 그것들은 악하다는 둥 선하다는 둥 판단을 덧붙이지 못하게 하십시오.

27. 신들과 동행하십시오. 신들과 동행하는 자는 자신에게 주어진 몫에 마음으로 만족하고, 제우스가 자신의 분신으로서 각자에게 관리자와 길라잡이가 되도록 나누어준 신성에 따라 행하고 있음을 신들에게 늘 보여줍니다. 신성이란 다름 아니라 각자의 지성과 이성입니다.

28. 당신은 분명히 염소 냄새 나는 자에게 화를 내지는 않겠지요? 오물 냄새 나는 사람에게도 화내지 않을 겁니다. 화낸

---

16   외부의 자극과 그것 때문에 생긴 감정을 이성이 관리하여야 함을 강조한다. 마음의 움직임은 감각이라는 자극 때문인데 그 감각이 신체의 기관에 있음을 생각하라는 의미다.

다고 무슨 소용 있겠습니까? 그는 그런 입과 그런 겨드랑이를 가졌으니 냄새가 날 수밖에 없습니다.

하지만 "그 사람도 이성을 따라 무엇이 잘못됐는지 생각한다면 알 수 있을 것이다."라는 말이 있습니다. 당신도 그 말에 찬성할 것입니다. 당신도 이성을 따르고 있으니 이성대로 그의 이성을 자극하며 말하십시오. 그리고 떠올리십시오. 그가 당신의 말을 경청한다면 당신은 그를 바로잡은 것이니 화낼 필요 없습니다. 화내는 행동은 배우나 창녀에게 속한 것이니 그러지 마십시오.

29. 당신은 죽음을 각오하는 만큼 살 수 있습니다. 하지만 사람들이 당신의 목숨을 앗아가려 하더라도 아무것도 잃을 게 없으니 생명에 연연하지 마십시오. 연기가 가득 피어오르면 밖으로 나갑니다.[17] 그것이 뭐가 대단한 일인가요? 하지만 어떤 것도 나를 쫓아내지 않는 한 나는 자유인으로 남아 그 누구도 내가 원하는 바를 훼방하지 못할 것입니다. 나의 소망은 이성적이고 사회적인 본래의 동물성을 따르는 것입니다.

30. 우주의 정신은 어울림입니다. 그러니 잘난 것을 위해

---

17 에픽테토스의 『담화』(1. 25. 18)에 나오는 유명한 구절을 아우렐리우스가 약간 비틀어 표현하고 있다. 에픽테토스는 연기가 나도 나쁘지 않으면 머무르다가 연기가 많이 나면 밖으로 나간다고 했다. 그런데 아우렐리우스는 연기가 가득 피어오르면 밖으로 나간다고 뒷부분만 말하면서, 그것은 대단한 일이 아니라고 한다. 밖으로 나갈지를 판단하는 것은 상황에 따른 자신의 자유임을 강조한 것이다.

못난 것들을 만들었고 못난 것들은 잘난 것들과 서로 어울립니다. 어떻게 못난 것들이 굴복하였고, 결합하였고, 각자의 몫을 받았고, 뛰어난 것들 사이에서 서로를 조화롭게 만들었는지 당신은 살필 수 있습니다.

31. 이제껏 당신은 신들, 부모형제, 처자식, 스승들, 후원자들, 벗들, 친지들, 하인들을 어떻게 대했습니까? 당신이 정도를 벗어난 언행을 누군가에게 한 적은 없었는지 떠올려 보십시오.

당신이 어떤 일을 겪었으며, 어떤 것을 참고 견뎠는지를, 그리고 인생의 탐문은 이미 끝났고 사명도 다했다는 것을, 당신이 좋은 것을 얼마나 많이 보고, 유희와 아픔을 얼마나 많이 그냥 흘려보냈고, 얼마나 자주 명성을 무시했으며, 불친절한 자들에게 얼마나 많이 친절하였는지를 기억하십시오.[18]

32. 무엇 때문에 기예도 학식도 없는 영혼들이 기예와 학식을 지닌 영혼들을 놀라게 한단 말입니까? 어떤 영혼에게 기예와 학식이 있나요? 처음과 끝을 아는 자, 존재하는 모든 것을 살펴보고 정해진 궤도를 따라 영원히 전체를 다스리는 이성을 가진 자입니다.

33. 재나 인골도 남지 않고, 단지 이름만 아니 이름조차도 남지 않을 것입니다. 이름은 단지 소리이고 메아리일 뿐이죠. 살

---

18   아우렐리우스는 전쟁터에서 곧 죽을지도 모르는 상황을 염두에 둔 것 같다. 죽음에 임하는 각오가 이 책 곳곳에서 나타난다.

아생전 높은 평판이란 것은 공허하고, 결국 퇴색되고, 보잘것없으며, 서로 물어뜯는 강아지들이나, 웃다 곧 울며 다투는 아이들과 같습니다. 하지만 신실함, 염치, 정의와 진리를 드러내는 것은, 넓은 길에서 시작해 올림포스 산으로 향하는 것과 같습니다.

도대체 왜 사람들은 이승의 것을 붙잡을까요? 감각의 대상들은 항상 변하며 일정하지 않고, 우리의 감각기관은 무뎌져 거짓된 상상에 쉽게 넘어갑니다. 우리의 가련한 영혼은 피에서 나온 증기에 지나지 않습니다. 분명 이런 상황에서 사람들의 평판이란 공허한 것입니다. 그다음에는 무엇일까요?

숨결이 사라져 소멸되든 다른 곳으로 옮겨 가든 당신은 느긋하게 기다리십시오. 그때가 오기까지 무엇에서 만족을 얻을까요? 신을 경외하고 찬양하는 것, 사람을 선하게 대하고, 견디며 삼가는 것 외에 다른 게 있겠습니까? 한낱 살점과 숨결 안에 있는 그 무엇도 당신이 아니며 당신에게 속한 것이 아님을 잊지 마십시오.

34. 올바른 길을 따라가되 생각에서나 행동에서나 이 길을 따른다면 만사형통할 수 있습니다. 신과 인간, 그리고 이성적인 존재의 영혼에 공통적인 두 가지가 있습니다. 남에 의해 방해받지 않는 것, 그리고 올바른 성품과 행동에서 좋음을 발견하여 이것으로 욕망의 한계를 정하는 것입니다.

35. 이 일이 나의 악행도 아니고, 나의 악행에 기인한 행

위도 아니고, 공동의 선에 해도 끼치지 않았다면, 왜 내가 그것 때문에 혼란에 빠진단 말입니까? 공동의 선에 무슨 피해가 있단 말일까요?

36. 온갖 상상들에 현혹되지 말고, 사람들을 가능한 한 적절하게 도와주십시오.[19] 만일 저들이 잃은 것이 얼마 없다고 생각되더라도 도와주십시오. 사람들이 받아들인다면 말입니다. 이것이 피해가 된다는 상상은 하지 마십시오. 이 사람들은 마치 죽을 때가 가까운 노인이 팽이를 떠올리며 아이에게 팽이를 달라고 하는 것과 같습니다.[20]

아이에게 달라고 하지 않더라도 그때는 연단에 서서 (인기를) 호소하는 꼴입니다. 이게 무엇인지 당신은 알겠습니까? "예, 이 사람들은 호소하는 일에 열성입니다." 그래서 당신도 그런 어리석은 자가 되려는 것입니까?

37. 한때 나는 어디에 있더라도 운 좋은 사람이었습니다. '운이 좋다'라는 것은 각자에게 좋은 운이 배정되는 것입니다. 좋은 운은 마음의 좋은 방향, 좋은 의도이며, 좋은 실행을 말합니다.[21]

---

19 아우렐리우스는 에픽테토스의 글을 염두에 둔 것 같다. 『비망록』 16. "아이를 잃거나 재산을 잃은 슬픔으로 우는 사람을 볼 때, 그 사람의 생각이 당신을 유혹하지 않도록 주의하라."
20 연극의 장면을 언급한 것 같지만 정확한 출처를 알 수 없다.
21 플라톤의 『에우튀테모스』 279c-280b.

명상 포인트

1. 타인의 비판에 흔들리지 않으려면
어떻게 해야 할까?

2. 지금 내가 하는 일이 무엇인가에 발목이 잡히면,
어떻게 해야 할까?

3. 나의 문제를 해결할 때
공동체를 고려한 적이 있는가?

6권 마음 관찰

1. 우주 만물은 자연을 잘 따르고 잘 바뀌는 것이며, 이것을 관리하는 이성 자체도 잘못을 저지를 까닭이 없습니다. 왜냐하면 우주 만물은 잘못을 포함하지도 잘못을 행하지도, 이성에 의해 어떤 피해를 받지도 않기 때문입니다. 만물은 이성에 따라 존재하고 수행합니다.[1]

2. 당신이 일을 적절하게 하고 있다면, 춥든지 덥든지, 졸리든지 푹 자든지, 욕을 듣든지 칭찬을 듣든지, 죽어가든지 다른 일을 하든지 신경 쓰지 마십시오. 죽는 행위조차도 인생의 한 행위일 뿐이며, 그때도 그 순간이 주는 것을 잘 선용하면 그

---

1   우주 만물은 이성적 원리를 따르며, 이성적 원리는 오류를 범하지 않기 때문에 악일 수 없다.

것으로 충분합니다.

3. 깊이 관찰하십시오. 그 고유한 성질이나 가치, 목적을 놓치지 마십시오.

4. 떠받치고 있는 만물은 곧 변할 것이고, 만약에 존재하는 만물이 다 연결된 하나라면 증기처럼 발산되거나 분해될 것입니다.

5. 관리하는 이성은 자신의 자리가 어디인지, 무엇을 하고 있는지, 자신이 어떤 것으로 구성됐는지 알고 있습니다.

6. 공격에 대한 최선의 복수는 공격자처럼 되지 않는 것입니다.

7. 신을 염두에 두고 사회를 위한 활동에서 사회를 위한 또 다른 활동으로 나아갈 것, 이 한 가지로 기뻐하고 쉼을 얻도록 하십시오.

8. 관리하는 이성이 자신을 자극하고 자신을 적응시키며, 자신을 바라는 대로 만들고, 게다가 발생하는 온갖 일들을 자신이 원하는 대로 봅니다.

9. 부분은 본래 전체로 보면 완성됩니다. 어쨌든 밖에서 감싸거나, 안에서 받치거나, 밖에 걸치는 것도 다른 법을 따르지 않습니다.

10. 본래 전체는 소용돌이, 얽힘, 흩어짐이거나 통일성, 질서, 섭리입니다. 앞의 경우를 보자면 아무 목적 없이 이런 혼돈

속에 얽혀서 지내기를 어찌 바라겠습니까? '흙이 되는 것' 외에 다른 무엇에 관심이 있겠습니까? 어찌 동요하겠습니까? 어떤 일을 해도 자신은 분해될 것입니다. 뒤의 경우라면 담대하게 흔들림 없이 관리하는 힘을 경배할 것입니다.

11. 주위가 뒤숭숭할 때 재빨리 당신에게 돌아가십시오. 필요 이상 오래 인생의 박자를 놓치지 마십시오. 끊임없이 자신에게 되돌아가면 주위는 훨씬 더 조화로우니까요.

12. 수양어머니와 친어머니, 두 분의 어머니가 계신다면, 당신이 수양어머니를 모실지라도 늘 친어머니께 마음이 향할 것입니다. 양모는 궁전에 생모는 철학에 비유할 수 있으니, 종종 철학으로 돌아가 쉼을 얻으십시오. 철학 때문에 당신은 궁전 생활을 버텨낼 만하고 궁전도 당신을 버텨낼 만할 것입니다.

13. 음식에 대해 이것은 죽은 물고기이고 저것은 죽은 새나 돼지라고 상상하는 것은 얼마나 대단한가요. 또한 팔레르누스산(産) 술은 포도즙이고 자포(紫袍)는 양모를 자줏빛 소라고둥[2]으로 물들인 것이고, 그뿐만 아니라 성교에 대해서도 음부를 비벼 경련을 일으킨 후 생기는 액체의 분비쯤이라고 생각하는 것도 그러하지 않은가요.

---

2   원문에는 '소라고둥 피에 젖은 양털'이다. 이것은 지중해산 소라고둥으로 자줏빛 염료를 만드는 데 쓰였다. 이 염료를 1.4그램 얻으려면 소라고둥 1만2천 마리의 체액이 필요했다고 한다. 당시 고귀한 신분만이 자포를 입을 수 있었다.

이런 상상은 사물들을 뚫고 들어가 핵심 자체에 도달하고 결국 그 사물들이 무엇인지 보도록 합니다. 당신은 이것을 평생 행하여야 하고, 어떤 사물들이 겉으로 매우 신뢰할 만해 보일 때마다 껍질을 벗겨내어 그것의 천박함을 직시하고, 그것들이 위대하다는 자랑을 걷어내야 합니다.

왜냐하면 위대함이라는 가식은 거짓 추론에 속을 정도로 무서운 것이며, 당신이 위대한 것들을 대하고 있다고 확신하는 동안 당신은 가장 쉽게 속기 때문입니다. 그러니 크라테스[3]가 크세노크라테스[4]에 관하여 한 말을 명심하십시오.

14. 우선 대중이 경탄하는 대부분은 가장 흔한 것으로 물질적 결합이나 자연적 성장으로 인해 서로 매달려 있는 것, 즉 광물, 목재, 무화과나무, 포도나무, 올리브나무와 같은 것입니다. 좀 더 품위 있는 자들이 경탄하는 것은 숨결[5]에 매달려 있는 것, 즉 소 떼나 양 떼와 같은 것입니다. 또 그보다 좀 더 품위 있는 자들이 경탄하는 것은 보편적이지 않은 이성의 영혼에 매달려 있는 것입니다. 이것은 어떤 전문 기술이나 어떤 기예를 지닌 것으로, 좀 거칠게 말하면 노예들을 단지 소유한 것과 관련됩니다. 하지만 이성적이고 보편적이며 공동체의 영혼

---

3   그리스 견유학파 철학자.
4   플라톤의 제자 중 한 명으로, 후에 아카데미아의 수장이 되었다.
5   원문은 '프쉬케(ψυχή)'로 개별적인 각각의 '영혼'으로 번역되기도 한다.

을 존중하는 자는 다른 일에 관심이 없고, 무엇보다 자신의 지성이 이성적이고 공동체적인지 살피고 이런 목적을 지향하는 똑같은 종류의 인간들과 협력합니다.

15. 어떤 것은 서둘러 생성되고 어떤 것은 서둘러 소멸되며, 어떤 것은 생성됨과 동시에 그 일부가 이미 소멸됩니다. 유출과 변화가 질서[6]를 부단히 새롭게 하여서, 계속되는 시간의 운동이 영원을 늘 새롭게 합니다. 멈출 수 없는 시간의 강물 속에서 빨리 지나가는 것들 가운데 어떤 것을 높이 평가할 수 있을까요? 만일 그런 자가 있다면 이미 눈에서 사라진, 휙 날아가는 작은 참새를 좋아하려는 것과 같겠지요.

진실로 우리 각자의 삶은 치솟는 혈기나 가쁜 숨결과 같습니다. 우리가 매 순간 공기를 들이쉬고 내쉬는 것이나, 옛날이나 혹은 엊그제 태어나면서 사람들이 부여받은 모든 호흡의 능력을 당신이 처음 공기를 들이마셨던 그곳에서 다시 뿜어내는 것에는 어떤 차이도 없습니다.

16. 식물처럼 공기를 순환하는 것도, 초식동물과 육식동물처럼 호흡하는 것도 귀한 것이 못 되며, 감각 인상의 상을 떠올리는 것이나 충동에 사로잡히는 것도, 혹은 모여 살면서 음식을 먹는 것도 귀한 것이 못 됩니다. 후자는 음식물 찌꺼기를

---

6   원문은 '코스모스(κόσμος)'로 '우주'라 번역되기도 한다.

나누는 것과 같을 뿐입니다.

그러니 무엇이 중요할까요? 박수갈채인가요? 아닙니다. 혀로 갈채를 받은들 무엇하겠습니까? 대중의 아첨은 혀의 설레발일 뿐이니 한낱 작은 영광도 버리십시오. 그러면 무엇이 귀하단 말인가요? 생각건대, 자신에게 맞는 명(命)에 따라 삼가 행하십시오. 이것이 실천과 기예가 추구할 목표입니다.

온갖 전문 기술은 이것을 추구하니 우리가 소명을 위해 일하는 것을 목표하기 때문입니다. 정원사도 포도원지기도, 말과 개를 조련하는 자도 이것을 추구합니다.

아이들의 양육과 교육은 무엇을 추구합니까? 가장 중요한 것은 다른 어떤 것을 얻으려 하지 않고 이렇듯 소명을 잘 지키는 것입니다. 당신이 귀히 여겼던 다른 많은 것을 당장 내려놓는 것이 어떻겠습니까? 그러지 않으면 당신은 자유롭지도, 자족하지도, 평온하지도 못할 것입니다.

당신은 자신이 귀히 여기는 것을 빼앗을 수 있는 자들을 시기, 질투, 의심할 수밖에 없고, 당신이 중요하다고 생각한 것을 가진 자들을 해할 음모를 꾸미게 될지도 모릅니다. 귀히 여기는 것 중 뭔가가 조금 부족하다고, 욕심을 채우려는 자는 분명 혼란으로 가득 차서, 놀랍게도 종종 신들까지 비난할 것입니다.

당신이 자신의 이해력을 스스로 존경하고 존중하면, 당신 자신의 눈에도 즐겁고 이웃과도 잘 어울리고 신들과 가깝게 어우러져, 말하자면 신들께서 배정하신 것을 찬양하게 됩니다.

17. 원소들은 돌면서 위아래로 움직이지만, 덕(德)의 움직임은 이러한 움직임이 아니라 더 신적인 무엇이며, 헤아릴 수 없는 길로 부드럽게 나아갑니다.

18. 저 사람들은 얼마나 유별나게 행동하는지요! 자신과 함께 사는 동시대인들을 칭찬하기는 원치 않으면서, 본 적도 없고 장차 보지도 못할 후손에게는 칭찬받으려고 많은 일을 벌입니다. 이것은 조상들이 당신을 칭찬하지 않았다고 분하게 여기는 것과 크게 다르지 않습니다.

19. 당신 자신에게 어렵다고 해서 인간에게 불가능한 일이라고 여길 것이 아니라, 그것이 인간에게 가능하고 적합한 일이라면 당신도 틀림없이 해낼 수 있다고 생각하십시오.

20. 경기 중에 누군가가 나를 손톱으로 긁거나 전방을 가격하며 머리로 박는다 해도, 우리는 그가 다른 속셈이 있어 부당하게 때렸다고 나중에 말하거나 의심하지 않습니다. 경계를 하면서도 그를 적이나 미심쩍은 자로 취급하지 않고, 그저 피하는 것이 좋은 생각입니다. 인생의 다른 영역에서도 이와 같이 우리의 상대 선수들에게 신경 쓰지 마십시오. 앞서 말했듯이 미심쩍어하거나 미워하는 대신 피할 수 있기 때문입니다.

21. 만일 누군가가 증거를 들이대며 내 의도나 행동이 틀

렸다고 비난한다면, 나는 기꺼이 고칠 것입니다. 나는 진리를 좇기 때문입니다. 진리로 인해 해를 입는 사람은 절대 없고, 오직 자기기만과 무지에 마음 쏟는 사람만 해를 입게 될 것입니다.

22. 나는 내게 해당하는 것만 행하고 그 외의 일에는 두리번거리지 않습니다. 그런 일들은 생명이 없을 뿐만 아니라 비이성적이거나 혼란스러워 그 길을 알 수 없기 때문입니다.

23. 이성이 없는 동물과 대상들, 그리고 사물 일반을 대할 때 관대하고 자유롭게 대하십시오. 당신은 이성을 지녔고 사물들은 그렇지 않기 때문입니다. 인간을 대할 때는 그들도 이성을 지니고 있으니 사회적 방식으로 대하십시오. 일마다 신들에게 도움을 요청하지도 말고, 얼마나 오랫동안 할지 기간을 정하지 마십시오. 그런 일은 세 시간으로도 충분합니다.[7]

24. 마케도니아의 알렉산드로스 대왕이나 그의 마부[8]나 똑같이 죽어 누워 있으니, 우주를 생성한 이성으로 동일하게 흡수되거나 원자로 동일하게 분해되었기 때문입니다.

25. 우리 각자의 몸과 영혼에 얼마나 많은 사건이 동시에 벌어지는지 생각해 보십시오. 그러면 아주 많은 일들뿐만 아니라 우리가 하나이자 전체라고 부르는 우주가 동시에 생성된

---

7   삶의 질이 양보다 더 중요함을 말한다.
8   원문에는 '노새꾼'이다.

다고 하더라도 당신은 놀라지 않을 것입니다.

26. 누군가 당신에게 "안토니누스라는 이름을 어떻게 쓰느냐?"라고 묻는다고 해서, 분명 철자 하나하나를 격하게 소리치지는 않겠지요? 당신은 소리치는 대신 부드럽게 글자 하나하나를 조용히 열거하지 않겠습니까? 사람들이 화를 내며 물으면 어떻게 하겠습니까? 그래도 물론 화를 내지 않겠지요?

이렇듯 인생도 몇 가지로 구성된다는 것을 기억하십시오. 당신은 이것들에 주의하고, 불안에 싸이지 말며, 사람들이 분개한다고 해도 분개하지 말고 당신의 계획을 올바른 방법으로 이루어 나가십시오.

27. 사람들이 자신에게 적합하고 쓸모 있어 보이는 일에 전심전력하지 못하게 하는 것은 얼마나 가혹한지요. 단지 저들이 탈선했다고 당신이 화를 낸다면, 어떤 의미에서 당신은 저들이 적합하고 쓸모 있는 행동을 하는 중이라는 것을 인정하지 않는 것입니다. 여하간 저들은 자신에게 적합하고 쓸모가 있는 것으로 이끌립니다. "하지만 그렇지 않습니다."라고 생각해도 화내지 말고 그들을 가르치고 (길을) 보여주십시오.

28. 죽음이란 감각의 반응으로부터, 그뿐만 아니라 우리를 이끄는 충동과 복잡한 생각, 육신의 노고로부터 쉬는 것입니다.

29. 당신의 인생에서 아직 육신이 쉬지 않는데 영혼이 먼

저 쉰다는 것은 부끄러운 일입니다.

30. 카이사르가 되지 않도록 주의하십시오. 혹은 그러기가 쉬워도 거기에 빠지지 않도록 주의하십시오. 자신을 단순하고 선하고 진지하고 위엄 있고 가식이 없고 정의를 사랑하고 신을 경외하고 자비롭고 다정하며 마땅한 일에 강건하도록 돌보십시오.

지혜에 대한 사랑[9]을 추구하도록 몸부림치십시오. 신을 공경하고 인간들을 구하십시오. 인생은 짧으니 인생이 맺어야 할 단 한 가지 열매는 경건한 성품과 공통의 선을 위한 실천입니다.

범사에 안토니누스의 제자답게 행동하십시오. 이성에 따라 행동하는 열정, 모든 행동을 통제하는 인내, 범사에 한결같음, 경건함, 평온한 얼굴, 다정함과 당당함, 일을 이루고자 하는 명예심, 사태를 파악하려는 야망. 그는 충분히 알기 전에는 무엇이든 포기하지 않았고, 부당하게 자신을 비난하는 자들에게 맞대응하지 않았고, 절대로 조급하지 않았으며, 비판에 신경 쓰지도 않았습니다.

그는 사람의 품행을 꼼꼼히 관찰하고 살폈지만, 쉽게 남을 비난하지 않았고 어떤 소문에도 역정을 내지 않았으며 의

9　'철학(φιλοσοφία)'이 '지혜(σοφός)'에 대한 '사랑(φίλος)'이라는 뜻이다.

심하지 않았고 궤변을 늘어놓지도 않았습니다. 집이든 침상이든 의복이든 음식이든 수행원이든 작거나 적은 것에 만족하였고, 힘든 일을 마다하지 않았고, 참을성 또한 대단하였습니다. 저녁때까지 같은 장소에 머물면서도 정해진 시간이 아니면 결코 용변을 보지 않았다고 합니다.

친구들에게 늘 한결같았고, 자신의 결정에 반대하는 자들에게도 관대하였으며, 누군가가 더 나은 해결 방안을 보이면 기뻐하였습니다. 신을 경외하되 미신에 빠지지 않았다고 하니, 당신도 그처럼 선한 양심을 지니고 마지막 순간을 맞이하십시오.

31. 완전히 깨어 정신을 차리십시오. 잠에서 다시 깨어나 당신을 괴롭혔던 것이 꿈이라는 것을 알았으니, 당신이 보았던 괴로움이라는 꿈에서 깨어나 정신을 차리고 지금 여기를 다시 보십시오.

32. 나는 몸과 마음으로 이루어져 있습니다. 몸은 모든 사물을 구분하지 못하기 때문에 사물들 사이에 차이가 없습니다. 마음이 자신의 활동 영역을 만들지 않는다면 만물은 차이가 없습니다. 마음의 활동 영역에서 형성되는 만물은 마음의 통제를 받습니다. 이때 마음은 현재와 관련됩니다. 마음의 활동이 미래와 과거에 관련된다면 그때 만물은 어떤 차이도 없기 때문입니다.

33. 발은 발에 속한 일을 하고 손은 손에 속한 일을 하는 한, 손의 수고도 발의 수고도 자연에 어긋나지 않습니다. 이렇듯 인간에 속한 일을 하는 한 인간 본연의 수고도 자연에 어긋나지 않습니다. 그 수고가 자연에 어긋나지 않는다면 악한 것이 아닙니다.

34. 강도들과 남색자들과 친부 살해자들과 폭군들은 얼마나 많은 쾌락에 빠졌는지요.

35. 그저 평범한 장인들은 어느 정도 미숙련공에게 맞출 때조차도 자신들의 전문 기술 원리를 어찌나 고수하는지, 그것을 포기하는 것은 절대 못 참는 것을 보지 않았나요? 건축가와 의사도 자신들의 기술 원리를, 인간과 신들이 함께 공유하는 원리보다 즉 인간이 존중하는 일반적인 원리보다 더 존중한다면 부끄러운 일이 아닐까요?

36. 아시아나 유럽은 단지 우주의 구석, 온 바다조차 우주의 한 방울, 아토스 산은 우주의 티끌이며, 지금의 모든 시간도 영원의 한 점입니다. 만물은 지극히 작으며, 쉽사리 변하고 사라진답니다.

만물이 영원의 한 점으로부터 나오는데, 만물은 공유하고 지배하는 그 중심에서 출발하거나 이차적인 효과로 생겨납니다.

사자의 주둥이, 치명적인 독, 해를 끼치는 온갖 작은 것들,

예를 들면 가시나 늪지는 신성하고 아름다운 것에 기대어 생긴 것이니, 당신이 경외하는 것과 다르다고 여기지 말고 만물의 원천을 되돌아보십시오.

37. 지금 여기 있는 만물을 보는 자는 영원에서 생긴 것과 영원까지 있게 될 것을 보는 것입니다. 만물의 종과 형상은 같습니다.

38. 되풀이하여 생각해 보십시오. 우주 안의 만물은 연결되어 있고 서로 의존하고 있습니다. 어떤 의미에서 만물은 서로 엉켜 있고, 그런 이유로 서로 친밀합니다. 즉 서로 호흡을 맞추며 통일성을 갖는 가운데 서로 밀고 당기며, 하나가 가면 다른 하나가 뒤따릅니다.

39. 당신의 운명이 당신에게 할당한 환경과 어우러져 보십시오. 운명이 정해준 사람들을 사랑하되 정말 진심으로 사랑하십시오.

40. 모든 도구, 연장, 그릇은 그것을 만든 목적을 이루면 좋은 상태입니다. 그런데도 만든 사람은 만든 후 그것들을 손 안에 두지 않습니다. 자연에 의해 사물들이 결합되어 있을 때 그것을 만든 힘이 그 안에 있고 거기에 계속 남아 있으니, 그 힘을 더욱 주의하고 숙고하십시오. 그 힘이 뜻하는 대로 행하고 이끌어간다면 만사가 당신의 지성과 일치할 것이며, 이렇듯 우주에서 만물은 자신의 이성을 따릅니다.

41. 당신의 힘 밖에 있는 것들을 당신이 선하다 또는 악하다 여긴다면, 악한 것을 만나거나 선한 것을 얻지 못할 경우 당신은 반드시 신을 원망하고, 악을 만나거나 선을 얻지 못하게 한 사람을 혹은 그것에 책임이 있을 거라고 의심하는 사람을 미워하게 될 것입니다. 진실로 우리는 이를 토대로 자주 잘못을 저지릅니다. 그러나 우리에게 달려 있는 것만을 두고 선한지 악한지를 결정하면, 신을 비난하거나 인간들을 적대시할 이유가 전혀 없게 됩니다.

42. 우리는 모두 한 가지 목적을 달성하기 위하여 함께 일하고 있는데, 어떤 이는 목적을 알아 우리가 하는 바를 의식하며 일하고 어떤 이는 모른 채 일합니다. 예컨대 내 생각으로는 헤라클레이토스가 "잠자는 자들조차도 우주에서 발생하는 것들의 일꾼이며 협력자이다."[10]라고 말했듯이 사람들은 서로 다른 방식으로 공헌하는데, 발생하는 것들을 비판하는 자 또는 심지어 반대하거나 제거하려고 하는 자도 충분히 협력합니다. 우주에는 이런 종류의 사람도 필요합니다.

따라서 어떤 사람과 함께할 것인지 결정하는 것은 당신에게 달렸습니다. 만물의 주관자는 어떤 경우에나 당신을 잘 활용하고 그분의 협력자들과 조력자들 사이에 당신 몫을 정해둘

---

10 헤라클레이토스, 『조각글』 75를 인용한 것으로 추측된다. "잠들지만 그들은 일하고 있다."

것이니, 당신은 크뤼십포스[11]가 말하는 배우의 연기 중에서도 저속하고 우스꽝스러운 몫을 맡지 않도록 하십시오.[12]

43. 태양이 비가 하는 일을 한다면 어울리겠습니까? 아스클레피오스가 결실의 여신[13]의 일을 한다면 어울리겠습니까? 별들 각각은 어떤가요? 서로 다른 별들이라도 같은 목적을 위하여 협력하지 않습니까?

44. 따라서 신들께서 나에 대하여, 나에게 일어날 운명에 대하여 숙고하셨다면, 그들은 깊이 숙고하셨을 것입니다. 숙고하지 않는 신을 떠올리는 것은 쉽지 않은 까닭입니다. 무슨 이유로 신께서 내게 해를 입히시겠습니까? 해를 입히면 신들께서 특별한 섭리로 관심을 보이는 그 공통의 선에 무슨 이득이 있겠습니까?

하지만 신께서 개별 존재인 나를 고려하시지 않았다 하더라도 신께서는 공공의 선에 대해 숙고하신 것입니다. 나는 그것의 이차적 결과인 사건들을 사랑하고 즐겨야만 합니다. 불경한 생각이지만, 만일 신께서 뭔가에 대해 심사숙고하시지

11 　스토아 철학의 창시자인 제논의 후계자.

12 　플루타르코스가 인용한 크뤼십포스의 말 『일반개념에 관하여』 1065d. "희극이 그 자체로 열등하지만 연극 전체에 특정 매력을 더하는 우스꽝스러운 대사를 포함하는 것처럼, 비록 당신이 악덕을 취한다면 그것을 비난할 수도 있지만 우주 전체는 그것이 쓸모 없다고 하지 않는다."

13 　원문에는 '열매 맺는'을 뜻하는 희랍어 카르포포로스(καρποφόρος)이다.

않는다면 어떤 제사도 어떤 기도도 어떤 맹세도, 그 밖에 신께서 임재(臨在)하여 동행하신다고 여기는 그 어떤 것도 행하지 마십시오.

하지만 비록 신들께서 우리와 관련하여 어떤 것도 숙고하시지 않는다고 해도, 내가 자신에 대해 숙고하고 어울리는 것을 살피는 것은 가능합니다. 자신에게 이로운 것은 각자의 소질과 본성에 어울리는 것에 있습니다. 나의 본성은 이성적이고 도시국가적[14]입니다. 안토니누스인 한 나의 도시국가와 조국은 로마이고, 인간인 한 나의 도시국가는 우주입니다. 이런 도시국가에 이로운 것이 내게 선한 것입니다.

45. 우리 각자에게 일어난 일은 전체에도 유익합니다. 이것이면 충분합니다. 그러나 주의 깊게 살펴보면, 보편적으로 한 인간에게 적합한 것은 다른 인간에게도 적합하다는 것을 당신은 보았습니다. 그렇지만 여기서 '이익이 된다'는 것을 선하지도 악하지도 않은 것들에 적용되는 의미보다는 더욱 보편적인 의미로 받아들여야 합니다.[15]

---

14   원문에는 폴리스(πόλις)의 형용사인 폴리티코스이다. 아리스토텔레스는 인간을 '폴리티코스 조온(πολῑτῐκός ζῶον)', 즉 '폴리스적인 동물'로 정의한다. 여기서의 '폴리스적'이라는 말을 두고 많은 논쟁이 있지만, 한나 아렌트는 『인간의 조건』에서 '정치적 자유'를 지향하는 인간으로 해석한다.

15   이것을 이해하는 방법은 두 가지가 있다. 첫째, 건강이 나에게 좋은 것이라면 그것은 다른 사람에게도 좋은 것이다. 둘째, 개인적인 나의 건강은 다른 사람들을 더 잘

46. 원형극장이나 그와 같은 장소에서 항상 똑같은 볼거리가 동일하게 공연되는 것에 싫증을 느끼듯이, 인생 전체에 대해서도 마찬가지입니다. 그렇습니다. 위아래로 모든 것이 동일하고 동일한 것들에서 모든 것이 오기 때문입니다. 그럼 언제까지 그러하겠습니까?

47. 이미 죽은 온갖 종류의 사람들, 즉 온갖 직업과 온갖 민족의 사람들을 늘 생각하십시오. 필리스티온과 포이보스와 오리가니온까지, 그리고 최근의 타민족도 생각해 보십시오. 한편에는 위대한 연설가들이, 한편에는 헤라클레이토스와 퓌타고라스와 소크라테스 같은 경건한 철학자들이, 한편에는 과거의 영웅들이, 또 다른 한편에는 가장 근자에 장군들과 참주들이 머무르고 있는 곳(음부)으로 우리도 건너가야만 합니다.

그 밖에 에우독소스[16]와 힙파르코스[17]와 아르키메데스[18]와, 지성이 날카롭고, 마음이 넓으며, 일을 좋아하거나 꾀를 부리며 고집 센 자들이 있었는데, 그들은 메납포스[19]와 그 부류처

대할 것이라는 의미에서 다른 사람들에게도 좋다. 이 점에서 이익은 보편적 의미가 있다.

16 그리스의 탁월한 수학자이자 천문학자.

17 그리스의 천문학자.

18 '유레카(εὕρηκά)'라는 외침으로 유명하다. 특히 수학사에서 원적 문제를 통해 π(파이) 값의 근사값을 구했다.

19 견유학파 철학자로 풍자에 뛰어났다고 한다.

럼 하루살이같이 사멸하는 인생 자체를 조소하는 자들이었습니다.

이들 모두 오래전에 땅에 묻혔다는 것을 생각하십시오. 무엇 때문에 그들을 두려워해야 하나요? 이름조차 완전히 사라진 자들을 왜 두려워해야 합니까? 그러니 가장 중요한 한 가지는 당신이 진실과 정의 속에서 살아가는 것이며 거짓과 불의를 일삼는 자들을 친절히 대하는 것입니다.

48. 당신의 마음이 즐겁기를 원한다면, 함께 사는 자들의 미덕을 생각해 보십시오. 이 사람의 활력, 저 사람의 겸손, 저 사람의 관대함, 또 다른 사람의 다른 미덕을요. 함께 사는 자들의 성격에서 다양하게 나타나는 미덕을 보는 것만큼 기쁨을 주는 것은 없습니다. 그러므로 이런 미덕들을 가까이 두십시오.

49. 정확히 300근[20]은 아니라도 상당량의 몸무게가 나간다고 해서 괴로워하지 마십시오. 더 오래 살지 못하고 정해진 연수만 산다고 괴로워하지 마십시오. 당신에게 주어진 물질의 양을 사랑하듯 당신에게 주어진 수명도 사랑하십시오.

50. 사람들을 설득하도록 노력하십시오. 옳은 이성이 이끌 때는 사람들이 거북해하더라도 실행하십시오. 그러나 누군가가 힘을 사용하여 당신에게 저항한다면, 괴로워 말고 보류

---

20 원문에는 '300리투라'인데, 청동을 달 때 쓰이던 그리스의 무게 단위로 여기서는 300근으로 의역했다.

조건으로 받아들여 당신의 접근 방법을 바꿔 다른 덕으로 되돌려 주십시오.

무조건 하지 말라는 게 아니라 불가능한 일을 목표하지 말라는 점을 명심하십시오. 그러면 무엇을 해야 할까요? 가능성이 있는 시도 그 자체가 중요합니다. 당신이 성취하지 못한다 해도 시도는 했습니다. 우리가 시도한 것들은 이루어질 것입니다.

51. 명성을 좋아하는 자는 남의 활동을 자신의 선으로 취하고, 쾌락을 좋아하는 자는 감각을 자신의 선으로, 지성을 가진 자는 자신의 행동을 선으로 취합니다.

52. 이것에 관하여 판단을 내려 진정 영혼을 번뇌케 하지 마십시오. 본래 사물 자체에 우리의 판단을 만드는 본성이 있는 것은 아닙니다.

53. 남의 말을 관찰하는 습관을 갖되 가능하다면 화자의 마음속으로 들어가도록 하십시오.

54. 벌집에 이롭지 않은 것은 벌에게도 이롭지 않습니다.

55. 선원들이 키잡이를 거부하고 환자들이 의사를 거부한다면, 키잡이가 선원들의 안전 외에, 의사가 환자들의 건강 외에 다른 무엇에 힘쓰겠다는 말일까요?

56. 나와 같이 세상에 온 이들 중 얼마나 많은 사람이 이미 세상을 떠났나요.

57. 황달로 아픈 자들에게는 꿀이 쓰고, 미친개에게 물린 자들에게는 물이 무섭지만, 아이들에게 공은 좋은 것입니다. 그런데 왜 내가 화를 내겠습니까? 당신은 담즙이 황달 환자에게, 미치게 하는 독이 광견병 환자에게 주는 영향력보다 그릇된 견해의 영향력이 더 약하다고 생각하나요?

58. 당신이 본래 당신의 이성에 따라 사는 것을 아무도 막을 수 없습니다. 본래 보편적인 이성에 어긋나는 일은 결코 당신에게 생기지 않을 것입니다.

59. 어떤 물건과 어떤 활동을 통해 만족을 얻으려는 자들이 있습니다. 시간은 이미 많은 것을 감추었고 앞으로 또 얼마나 빠르게 모든 것을 감출까요.

명상 포인트

---

1. 산만한 일에 마음을 빼앗기지 않고 나 자신에게
집중하려면 어떻게 해야 할까?

---

2. '지금 여기'라는 일상을 사랑하기 위해
무엇을 실천할 것인가?

---

3. 헛되지 않은 수고란
무엇인가?

---

4. 지금 나와 함께하고 있는 이들에 대해
어떤 점이 감사한지 생각해 보자.

7권 관리 훈련(절제력)

1. 나쁨이란 무엇인가요? 나쁨은 당신이 자주 보았던 것입니다. 어떤 일이 발생했을 때마다 자주 보았던 것을 생각해 보십시오. 시간을 거슬러 올라가든 따라 내려오든 당신은 똑같은 점을 찾아낼 것입니다. 고대 역사, 중세 역사, 당대의 역사에 가득 차 있고, 오늘날에는 도시와 집에 가득 차 있습니다. 즉 나쁨은 새로운 것은 없고 모두 낡고 덧없는 것입니다.

2. 우리의 원칙들은 그에 상응하는 인상[1]들이 있는 한 작용합니다. 그 인상들이 계속 불타오르게 하는 것은 당신에게 달려 있습니다. 내가 생각해야만 생각이 활발해질 수 있습

---

1 스토아주의는 사물에 대한 자극으로부터 인상을 얻고, 인상을 능동 지성을 통해 능동적으로 상상할 때 감각 대상이 지각 대상이 된다고 여겼다.

니다.

그렇다면 왜 노심초사한단 말인가요? 나의 지성 밖에 있는 것은 내 지성과는 상관없는 것이니, 이것을 알고 똑바로 서십시오. 당신의 삶은 당신에게 달려 있으니, 지금껏 보아온 사물을 다시 보십시오. 당신 삶의 회복이 여기에 있습니다.

3. 화려한 볼거리에 대한 공허한 열망, 그러니까 무대 위에서의 드라마, 양 떼, 소 떼, 창 연습, 강아지에게 던져진 뼈다귀들, 물고기 연못에 던져진 빵, 개미들의 노동과 짐 나르기, 겁먹은 생쥐들의 우왕좌왕, 줄로 조종되는 꼭두각시 인형들[2] 속에서 쏟아내는 기막힌 유머로 잘난 척하지 마십시오. 자기가 추구하는 가치만큼 각자 가치를 지닌다는 것을 이해하십시오.

4. 대화의 주제에 주목하고, 순간순간 다른 이들이 무엇을 하고 있는지를 관찰해야 합니다. 한편으로는 무엇을 목적으로 언급하는지 즉시 살펴야 하고, 또 한편으로는 그 말의 의미가 무엇인지 파헤쳐야 합니다.

5. 나의 이해력은 이 과업을 행하는 데 충분할까요, 아닐까요? 충분하다면 본래의 우주로부터 온 도구인 내 이해력을 지금 이 과업에 사용하십시오. 충분하지 않다면 이 과업에서 물

---

2   인생사를 의미하는 목록으로 이해된다. 인생과 관련된 목록은 4.32, 7.48, 9.30에서도 나타난다.

러나서 더 잘할 수 있는 자에게 양보하거나, 내가 물러나야 할 이유가 없다면 내가 할 수 있는 한 수행하되, 나의 관리 원리의 도움을 받아 지금 공동체의 선에 적합하고 이로운 일을 할 수 있는 다른 능력자의 도움을 받아야 할 것입니다. 뭔가를 혼자 하든 타인과 함께하든, 공동체에 이롭고 적합한 것을 위해 노력해야 하기 때문입니다.

6. 얼마나 많은 사람이 드높이 칭송받더니 벌써 잊혀졌으며, 또 얼마나 많은 사람이 그들을 칭송하더니 오래전에 죽었나요.

7. 도움 받기를 부끄러워하지 마십시오. 당신은 공성전(攻城戰)을 하는 전사처럼 주어진 임무를 수행하는 것이기 때문입니다. 당신이 절름발이여서 혼자서는 성벽을 오를 수 없지만 타인의 도움으로 오를 수 있다면 어떻게 하겠습니까?

8. 미래의 일을 걱정하지 마십시오. 걱정할 필요가 있을 때마다 현재에 정신을 차리면 당신은 이미 미래에 도착할 것이기 때문입니다.

9. 만물은 서로 얽혀 있고 그 얽힘은 범상치 않으며 서로 얽히지 않은 것은 어떤 것도 없습니다. 사물이 얽히고 결합하여 이 우주를 형성합니다.[3] 만물로부터 하나의 우주가 있으며,

---

3   스토아주의에서 만물의 결합은 '프네우마(πνεῦμα)'를 통해 나타난다. 희랍어에서 바람이 불다, 숨을 쉬다 등을 뜻하는 동사 '프네오'의 명사형이다. '프네우마'는 또

만물에 내재하는 하나의 신, 하나의 실체, 하나의 법,[4] 이성적인 모든 동물에게 공유되는 하나의 공통된 이성, 하나의 진리가 있습니다. 만약에 같은 기원을 갖고 동일한 이성을 가진 동물들도 궁극적으로 하나가 된다면 말입니다.

10. 온갖 물질적인 것들은 우주적 실체 속으로 신속하게 사라지고, 온갖 원인은 신속하게 우주적 원인으로 다시 흡수되며, 온갖 기억은 신속하게 영원 속에 묻혀버립니다.

11. 이성적인 동물에게, 본성을 따르는 행위와 이성을 따르는 행위는 동일합니다.

12. 올곧게 서십시오. 그렇지 않다면 올곧게 세워지게 하십시오.

13. 이성적인 것들은, 서로 떨어져 있어도 팔다리가 몸으로 통합되어 있는 것처럼, 이성은 하나의 어떤 협력으로 향하도록 되어 있습니다. "나는 이성적인 존재들로 된 구성체의 한 '지체'(멜로스, μέλος)다."라고 종종 말할 때마다 이 생각이 더욱 잘 이해될 것입니다.

하지만 당신이 다른 본문에는 철자에 λ가 아닌 ρ를 써서 자신을 한 '부속품'(메로스, μέρος)이라 말할 때마다 당신은 사

___

한 신이라고도 불리기 때문에 발생하는 모든 사물은 신의 활동이다. '프네우마'는 만물에 철저하게 스며들어 있어서 지성을 통해서만 만물로부터 분리할 수 있다.

4   세네카, 『서간문』 76.23, "모든 발생(사건)이 규제되는 신성한 법."

람들을 사랑하지 못하며, 결과적으로 선행도 당신을 기쁘게 하지 못합니다. 분명 당신은 그것을 여전히 의무로 행할 뿐 자신에게 유익한 것으로는 행하지 않습니다.

14. 외부에서 무엇이 일어나든 나의 부분들 중 그 일을 느낄 수 있는 부분에서 그것을 겪도록 하십시오. 아마도 느끼는 부분들이 불평할 것입니다. 하지만 내게 일어난 일을 나쁘다고 여기지 않는다면 피해를 보지 않을 것입니다. 그리고 나는 그렇게 여기지 않을 힘이 있습니다.

15. 누가 무슨 짓을 하든 무슨 말을 하든 나는 단연 선해야만 합니다. 마치 황금이나 에메랄드나 자색 옷감[5]이 "누가 무슨 짓을 하든 무슨 말을 하든 나는 단연 에메랄드이고 나의 빛깔을 지녔다."라고 이르는 것과 같습니다.[6]

16. 이성의 관리하는 능력[7]은 스스로를 닦달하지 않습니다. 즉 자신을 두렵게 하거나 고통스럽게 하지 않습니다. 하지만 다른 누군가가 당신을 두렵게 하거나 고통스럽게 할 수 있다면 하도록 내버려두십시오. 관리하는 능력 자체가 그 방향으로 가지 않을 것이기 때문입니다. 하지만 가능한 한 몸은

---

5   당시 자색은 조개류에 있는 안료를 사용했기 때문에 자색 옷감은 주로 귀족들이 사는 최고급 품목이었다.

6   '인간은 선천적으로 선하며 그래서 선을 행하는 것은 인간의 본성을 표현하는 것이다.'라는 의미다.

7   절제력이나 통제력으로 이해할 수 있다.

해를 당하지 않도록 조심하고, 뭔가 해를 당하면 말하게 하십시오.

비록 마음에서 두려워하고 고통받을지라도, 이런 것들에 대하여 판단하는 능력을 온전히 갖고 있다면 마음 자체는 어떤 것에도 해를 입지 않을 것입니다. 관리란 그런 판단 때문에 실수하지 않습니다. 관리력은 스스로 자신을 위해 결핍을 만들지 않는 한 아무것도 원하지 않습니다. 따라서 스스로를 닦달하지도 방해하지도 않는다면 동요되지도 방해받지도 않을 것입니다.

17. 좋은 운수[8]란 좋은 신성이거나 좋은 관리입니다. 오! 환상이여, 당신은 여기서 무엇을 하나요?[9] 신의 이름으로 당신에게 말하노니, 왔던 곳으로 물러가십시오. 당신은 필요 없습니다. 당신은 옛날 습관대로 왔지만 당신에게 성내지 않을 것이니 단지 물러서십시오.

18. 누가 변화를 두려워하나요? 변화 없이 생길 수 있는 게 무엇인가요? 본래의 우주보다 더 끌리고 더 편안한 게 무엇인가요? 장작이 변화하지 않는다면 당신은 따뜻한 물에 목욕할 수 있나요? 음식물이 변화하지 않는다면 당신은 성장할 수

---

8   '에우다이모니아(εὐδαιμονία)'는 보통 '행복'으로 번역하지만, 여기서는 맥락상 어근을 살려 번역했다.

9   아우렐리우스는 헛된 행복감에 빠지는 환상을 꾸짖고 있다.

있나요? 어떤 다른 유익한 것이 변화 없이 생길 수 있나요? 당신 자신에게도 동일하게 변화는 필요하며 본래의 우주에도 똑같이 필요하다는 것을 당신은 모른단 말인가요?

19. 모든 육신은 급류에 휩쓸리듯 우주의 실체에 휩쓸려 실려 갑니다. 우리의 사지가 서로 연합하고 협력하는 것처럼 육신은 우주 전체에 연합하고 협력합니다. 영겁은 이미 얼마나 많은 크뤼십포스를, 얼마나 많은 소크라테스를, 얼마나 많은 에픽테토스를 삼켜버렸나요! 어떤 사람이나 어떤 일을 보든지 바로 이것을 생각하십시오.

20. 나를 노심초사하게 만드는 단 한 가지는, 즉 사람의 기질이 절대로 원치 않거나 당장은 원하지 않는 것을, 원하지 않는 방식으로 나 스스로 뭐라도 행하지 않을까 하는 것입니다.

21. 곧 당신은 만사를 기억하지 못하고, 곧 만물은 당신을 기억하지 못합니다.

22. 심지어 넘어진 자들을 사랑하는 건 사람에게 고유한 일입니다. 사람들이 실수할 때 그들은 동족이고, 무지하여 본의 아니게 잘못한 것이며, 당신도 얼마 뒤 함께 죽게 될 것이고, 무엇보다도 당신이 해를 입지 않았다는 것을 명심하십시오. 그도 그럴 것이, 그 실수 때문에 당신이 자신을 이전보다 더 열등하게 관리하지는 않을 것이기 때문입니다.

23. 본래의 우주는 밀랍을 빚듯 우주에 있는 것으로 이번에는 말 한 마리를 빚었다가 이것을 녹여 동일한 재료로 나무를, 다음에는 사람을, 다음에는 그 밖에 다른 뭔가를 만듭니다. 이것들 각각은 아주 짧은 순간 지속됩니다. 궤짝을 쉽게 맞추듯이 부수기도 쉽습니다.

24. 얼굴을 찡그리는 것은 본성에 매우 어긋난 일입니다. 밝은 표정이 사라지다가 나중에는 완전히 없어져서 결코 살릴 수 없습니다. 바로 이 점에서 이성에 어긋난다는 점을 인정하도록 하십시오. 심지어 그릇됨에 대한 지각도 사라져 버린다면 더 이상 살아가야 할 어떤 이유가 있을까요?

25. 만물을 주관하는 자연이 당신이 보는 온갖 것을 곧 변화시킬 것이고, 그 실체에서 다른 것들이 만들어지고 다시 그 실체에서 또 다른 것들이 만들어져 온 세상은 젊음을 유지합니다.

26. 누가 당신에게 잘못을 범했을 때, 그가 무엇을 선이나 악으로 여겨 그런 잘못을 했는지 즉각적으로 생각해 보십시오. 그것을 알고 나면 당신은 그에게 동정심이 들어 놀라거나 화를 내지도 않을 것입니다. 그의 같은 행위를 두고 당신은 경우에 따라 선이나 악으로 생각할 것이기 때문입니다. 그러므로 당신은 그를 용서해야 합니다. 그런데 만약 당신이 그런 일을 선이나 악이라고 여기지 않는다면 잘못 생각한 자에게 더

욱 쉽게 자비를 베풀 것입니다.[10]

27. 당신에게 없는 것을 이미 있는 것처럼 중요하게 생각지 마십시오. 당신이 가진 것 중에 가장 귀한 것을 택해서 그것이 없다면 얼마나 애타게 찾았을지 생각해 보십시오. 그렇지만 동시에 그것을 귀히 여기는 데 익숙해지지 않도록 경계하십시오. 언젠가 없어지면 동요하게 되기 때문입니다.

28. 당신 자신에게로 물러나십시오. 관리하는 이성은 본래 자신의 옳은 행동과 그로 인한 고요함에 만족합니다.

29. 몽상을 닦아내십시오.[11] 현(絃)의 노래[12]에 귀를 막으십시오. 자신을 현재에 한정하십시오.[13] 당신과 남에게 닥친 일을 잘 알아두십시오. 닥친 일을 형상과 질료로 구분하여 나누십시오. 최후의 시간을 고려하십시오. 제삼자가 실수한 것을 실수한 자리에 그대로 남겨두십시오.

30. 이야기되고 있는 것에 집중하십시오. 무슨 일이 일어나고 있는지와 무엇이 그 일을 일어나게 하는지를 이해하십

---

10 아우렐리우스에 따르면 잘못을 범한다는 것은 선악에 대한 규정 때문이고, 따라서 그 규정이 달라지면 잘못을 범한 자도 용서할 수 있다.

11 인간에게 들어오는 모든 이미지는 잔상으로 남는다. 이것이 마음에 들어와 영향(impression)을 미치고 매달리게 된다. 그 인상이 지각을 거쳐 거짓된 것으로 판명날 경우 몽상으로 옮겼다.

12 감정에 휘둘리는 것을 말한다.

13 미래를 예측하거나 과거를 후회하지 말라는 뜻이다. 8.36, 12.1, 12.3 참조.

시오.

31. 미덕과 악덕 사이의 것들을 다듬어 단순함, 평온함, 무관함[14]이라 하십시오. 인류를 사랑하고 신을 따르십시오. 그[15]가 말했습니다. "그 밖의 모든 것은 인습의 법칙에 따르고, 오직 원자들만이 절대적이고 진실하다."[16] 만물에 법칙이 있다는 것만 기억하면 충분합니다. 지침들은 매우 적습니다.

32. 죽음에 관하여. 우리가 원자들로 되어 있다면 죽음은 분해됨이거나,[17] 당신이 통일체라면 죽음은 멸절이거나 변화[18]입니다.

33. 고통에 관하여. 견딜 수 없는 고통은 우리를 죽게 하지만, 만성이 된 고통은 견딜 수 있습니다.[19] 지성은 자신으로 돌

---

14   아디아포리아(ἀδιαφορία). '무관한 것'을 뜻하는 '아디아포론(ἀδιάφορον)'의 추상형 명사이기 때문에 '무관함'으로 옮겼다. 선과 악의 대상은 미덕(선)과 악덕(악)을 차별하는 마음에서 나온다. 키케로가 전하는 스토아주의에 따르면 '무관한 것(ἀδιάφορον, indifferens)'을 선도 악도 아닌 것이라(키케로, 『최고선악론』 III, 16에서) 말한다. 이것이 스토아주의의 기본 교리였다. 진정으로 좋은 것은 미덕이며, 진정으로 나쁜 것은 악덕이다. 우리가 '좋다' 또는 '나쁘다'고 생각할 수 없는 것 외의 모든 것은 사실 '무의미하고', 도덕적으로 중립적이다. 이런 '무관함'을 관찰하여 그 결과로 얻는 마음이 평온함이다. 11권 16을 참조하라.

15   데모크리토스로 추정된다.

16   Diels & Kranz가 편집한 『조각글』 117, 125에 비슷한 문구가 있다.

17   죽음에 대한 에피쿠로스주의의 개념.

18   죽음에 대한 스토아주의의 개념.

19   에피쿠로스주의의 입장이다.

아감으로써 평온을 유지하고 관리하는 마음도 나빠지지 않습니다. 하지만 고통으로 해를 입은 개인들이 가능한 자신의 의견을 밝히도록 하십시오.

34. 명예에 관하여. 명성을 구하는 자들의 지성을 살피십시오. 그들이 무엇을 피하고 무엇을 추구하는지 살펴보십시오. 모래 언덕이 또 다른 모래 언덕에 쌓이면 이전 모래 언덕이 묻히듯, 인생에서도 이전 것들은 나중 것들에 의해 다급하게 가려진다는 것도 살펴보십시오.

35. "당신은 뛰어난 지성으로 모든 시간과 모든 실체를 관조할 수 있는 자가 인생을 대단히 중요한 어떤 것으로 여긴다고 생각하나요?"

"불가합니다." 그가 말했습니다. "그러면 이런 자는 죽음도 무서운 뭔가라고 여기지는 않겠지요?"

"죽음조차도 무섭게 여기지 않습니다."[20]

36. "왕이로다, 선한 일을 하고도 욕먹는 이는."[21]

37. 부끄럽습니다. 자태는 지성이 시키는 대로 곱고 반듯하지만, 지성 그 자체는 지성이 시키는 대로 자태가 곱지도 않고 반듯하지도 않기 때문입니다.

---

20 플라톤의 『국가』 486a에서.
21 고대 그리스의 철학자 안티스테네스(BC445~365년)의 말. 소크라테스의 제자로 키니코스학파를 창시하였으며, 금욕주의를 내세웠다.

38. 지난 일들에 분노하는 것은 소용없는 짓, 지난 일들은 분노에 아랑곳하지 않기 때문입니다.[22]

39. 불멸의 신들과 우리를 기뻐하기를![23]

40. 생명은 무르익은 이삭처럼 추수돼야 합니다. 한 사람은 태어나고, 또 한 사람은 죽습니다.[24]

41. 신들이 나와 내 자식에게 눈을 돌릴지라도, 거기에는 그럴 만한 이성이 있는 법입니다.[25]

42. 선이 내게 있음이로다, 의로움까지.[26]

43. 남이 곡할 때 같이 곡하지 말고, 장단 맞추지도 말라.[27]

44. 저는 이 사람에게 옳은 답을 하겠습니다. "이봐요, 조금이라도 가치 있는 사람이라면 죽느냐 사느냐 하는 위험을 고려해야지 무엇인가를 행할 때 그것이 올바른 행위인지 올바르지 못한 행위인지 선인의 행위인지 악인의 행위인지만을 고려해서는 안 된다고 생각한다면, 당신의 판단은 틀렸소."[28]

45. "아테네 사람들이여, 진실은 이러합니다. 누군가가 가

22　그리스 비극 작가 에우리피데스의 말. 『벨레폰』에 나온 말로 추정된다.

23　출처를 알 수 없는데, 서사시의 완벽한 육음보로 되어 있어 구전되었을 가능성이 높다.

24　에우리피데스의 말. 잃어버린 작품에서 나온 것 같다. 11.6에서도 다시 인용된다.

25　에우리피데스의 말. 『안티오페』의 조각글만 남아 있다.

26　에우리피데스의 말. 잃어버린 작품에서.

27　출처를 알 수 없다.

28　플라톤의 『소크라테스의 변명』 28b에서.

장 좋은 곳이라 여겨 진을 쳤거나 장군에 의해 배치되었다면, 내 생각으론 그 사람은 위험을 무릅쓰고 버텨내야만 하고 목숨이나 그 밖의 다른 무엇보다도 불명예를 가장 신경 써야 합니다."[29]

46. "친구여, 고귀하고 좋은 것이란 생명을 구하고 구해지는 것과 별반 다른 게 아니네. 즉 진짜 사나이임을 잊고 되도록 오래 사는 것이 아니라, 목숨에 집착하지 말고 그런 일은 신에게 맡기고 '팔자는 피하지 못하는 법'이라는 여인들의 말을 믿으며, 앞으로 살아야 할 날 동안 어떤 것이 가장 아름답게 사는 것인지 숙고해야만 한다네."[30]

47. 당신이 별들과 같이 움직이고 있는 것처럼, 운행하고 있는 별들의 궤도를 둘러보십시오. 원소들이 상호 변화하는 것을 끊임없이 생각하십시오. 그런 것들에 관한 생각이 지상 생활의 티끌을 닦아내기 때문입니다.

48. 플라톤의 말은 좋습니다. "사람들에 관하여 말할 때는 마치 위에서 땅을 내려다보듯 관찰해야만 한다. 즉 군중, 군대, 농경, 혼인, 분할, 탄생, 죽음, 법정의 소란, 황폐한 땅, 각종 야만족, 축제, 비탄, 장터, 이 모든 것의 혼합과 그 반대 것들을."[31]

---

29 플라톤의 『소크라테스의 변명』 28d에서.
30 플라톤의 『고르기아스』 512d~e에서.

49. 이전에 존재한 그 많던 정치권력의 흥망성쇠를 살펴보십시오. 그러면 앞으로의 일도 내다볼 수 있을 것입니다. 앞일도 모두 같은 종류의 일일 것이고 지금의 흐름에서 벗어나지 않을 것이기 때문입니다. 그래서 인간의 삶을 40년 동안 살펴보든지 1만 년 동안 살펴보든지 동일할 것입니다. 더 이상 볼 것이 뭐가 있겠습니까?[32]

50. 땅에서 나온 것들은 땅으로 돌아가고,

하늘의 씨앗에서 싹튼 것은 다시 하늘의 영역으로 돌아가느니라.[33]

아니면 얽히고설킨 원자들의 해체이든지, 무감각한 원소들의 그와 비슷한 흩어짐입니다.

51. 죽지 않으려고 음식과 음료, 주문(呪文)으로

생명의 물줄기를 돌리네.[34]

신에게서 어떤 폭풍 몰아쳐도

슬퍼하지 말고 인고하십시오.

52. 누군가 당신보다 더 나은 레슬링 선수일지라도,[35] 그가

---

31   플라톤의 말이라고 했지만, 출전이 분명하지 않다. 아마도 『테아이테토스』(173e~174a)를 생각하는 것 같다.

32   『명상록』 11.1 참조.

33   에우리피데스의 말. 상실된 작품 『크뤼십포스』에서.

34   에우리피데스의 말. 『청원하는 여인들』(1110~1111)에서.

35   플루타르코스, 『스파르타 이야기』 236e에서 한때 스파르타인이 올림픽 레슬링 경

사귐이나 염치를 아는 것, 과업을 행하는 것, 그리고 이웃의 과실에 호의를 베푸는 것에서 더 나은 것은 아닙니다.

53· 신과 인간이 함께 가진 이성으로 일을 완수하는 곳, 거기엔 어떤 두려움도 없습니다. 바른 길, 그러니까 소질에 따라 성공을 이루고 이롭게 되는 곳, 거기에선 어떤 해도 입지 않습니다.

54· 당신이 언제 어디에 있든지 이것은 계속 힘써야 할 것입니다. 현재의 상황에 경건하게 발맞추고 기뻐하십시오. 지금의 이웃과 올바른 관계를 맺으십시오. 현재의 생각들을 세심하게 검토하여, 검토하지 않은 생각들이 스며들지 못하도록 하십시오.

55· 타인에게서 이성의 지배적 원리를 발견하려고 한눈팔지 말고, 본성이 당신을 안내하는 것을 직시하십시오. 당신에게 닥친 일을 통해서 우주의 본성을, 그리고 당신이 이룬 일을 통해서 당신의 본성을 직시하십시오.

각자가 해야 할 일은 이성적 존재를 위해 구성된[36] 나머지 것을 따르는 것입니다. 마치 다른 모든 곳에서 하위의 것들이 상위의 것을 위하여 만들어진 것과 같습니다. 이성적 존재는

기에서 패배하자, 이와 같이 말했다고 한다.

36 4권 5에서 말하는 피조물을 구성하는 원리로 인간의 태어남은 여러 요소들의 결합과 같고 죽음은 풀림과 같다.

서로를 위해 만들어졌습니다.[37]

인간의 관계를 구성하는 첫째는 친교이지만, 둘째는 몸의 설득에 굴복하지 않는 것입니다. 특정한 지성과 이성의 움직임은 자신을 제어하고, 감각과 충동의 동요로 약해지지 않기 때문입니다. 즉 감각과 충동은 짐승에게 속하지만, 지성은 감각과 충동의 동요에 지배당하기를 바라지 않고 지배하기를 원합니다. 당연히 지성은 본래 이 모든 것을 활용합니다. 합리적 구성에서 세 번째는 성급하게 동의하지[38] 않고 기만에서 벗어나는 것입니다.[39] 이것들을 유념하며 지성의 관리가 곧장 발휘되게 하십시오. 그러면 그것은 제 몫을 할 것입니다.

56. 마치 지금까지 살다가 세상을 떠난 듯이, 여생을 덤으로 살되 본성에 따라 살도록 하십시오.

57. 오로지 자신에게 생긴 일과 운명의 실타래[40]만 사랑하십시오. 무엇이 이보다 더 적절하겠습니까?

58. 당신이 온갖 곤경에 처하거든 누군가 동일한 일을 당했을 때 꺼리고 피하고 욕하던 자들을 눈앞에 떠올려 보십시오. 지금 그들은 어디에 있나요? 아무도 없군요. 그렇다면 무

---

37   5.16의 반복이다. 11.18에서도 나타난다.

38   외부 자극에 대한 인상을 성급하게 동의하면 사물의 본질을 파악하지 못한다.

39   크뤼십포스의 주장이었다.

40   원문에는 '클로토'로 되어 있다. 그리스 신화에서 클로토는 운명의 여신 중 한 명으로 운명의 실을 잣기 때문에 이렇게 풀어서 옮겼다.

엇이란 말인가요? 당신도 저들과 같아지기를 바라나요? 동요를 일으키거나 동요에 영향받은 사람들의 본성에 맞지 않는 이 동요들을 왜 당신은 내버려 두지 않나요?

당신 자신은 바로 이것들을 어떻게 활용할 수 있는지 골똘히 생각해 보지 않나요? 이것들을 잘 활용할 수 있다면 당신에게 좋은 소재가 될 것입니다. 오로지 당신은 자신에게만 관심을 갖고 당신이 하는 모든 일에 좋은 사람이 되도록 결심하십시오. 그리고 기억하십시오.

59. 당신 속을 파고드십시오. 그 안에는 선이라는 샘이 있는데 당신이 늘 파고들어야 항상 솟아납니다.

60. 다부지고 균형 잡힌 몸매를 유지하여 움직이든 가만있든 결코 흐트러지지 않게 하십시오. 마음이 온화할 때 얼굴에 드러나듯 온몸에서도 그렇게 되도록 요구하십시오. 하지만 이 모든 것이 가식 없이 보여야만 합니다.

61. 인생 기술[41]이란 춤보다는 씨름에 더 가깝습니다. 상대가 불의의 공격을 가하여 쓰러뜨리려 할 때, 내가 넘어지지 않고 서 있어야 한다는 점에서 그렇습니다.

62. 당신이 인정받기를 원하는 자들이 누구인지, 또한 그들이 어떤 이성의 관리하는 원리를 지녔는지 늘 주의하십시

41 원어로는 비오티케(βιωτική)인데 형용사로 뒤에 테크네(τέχνη)를 생략한 것이다. '생의 기술', '삶의 기술'로도 옮길 수 있다.

오. 그러면 어쩌다 잘못한 자들을 비난하지 않을 것이고, 그들의 인정을 원하지도 않을 것입니다. 당신이 저들의 의견과 욕구의 근본을 들여다본다면 그럴 것입니다.

63. "온갖 영혼은 부지불식간 진리를 잃게 된다."라고 그가[42] 말했는데, 의로움, 신중, 자비, 그 밖의 온갖 것도 마찬가지입니다. 항상 이 점을 기억하십시오. 그래야 온갖 것들을 향해 당신이 온유할 수 있습니다.

64. 온갖 고통에 직면할 때마다 이 생각을 떠올리십시오. 고통은 부끄럽지 않으며, 나를 안내하는 지성을 더 나쁘게 만들지도 않습니다. 지성이 이성적인 한, 그리고 공동체적인 한, 고통은 지성에 해를 끼칠 수 없습니다.

오히려 고통을 겪는 대부분의 경우에 에피쿠로스의 이 말이 당신에게 보탬이 되게 하십시오. "고통에는 한계가 있다는 것을 기억하고, 여기에 상상을 덧붙이지만 않는다면 고통은 견딜 수 없는 것도 아니며 영원히 계속되지도 않느니라."[43]

참기 어려운 졸음, 끓는 고열, 먹기 싫은 거북함 등과 같이 우리에게 불쾌감을 주는 많은 것들이 사실은 고통과 같지만 잊고 산다는 것을 명심하십시오. 이런 것들을 참을 수 없을 때

---

42 '그'는 플라톤을 말하지만 플라톤의 작품 중에는 이 문장이 없다. 아우렐리우스가 에픽테토스의 말을 인용한 것으로 추측된다.

43 Usener가 편집한 『에피쿠로스의 조각글』 447. 이 책 7.33에서도 나온다.

마다 고통에 빠졌다고 자신에게 말하십시오.

65. 비인간적인 사람들이 사람들을 향해 불만을 품듯 당신은 그들을 향해 그러지 않도록 조심하십시오.

66. 텔라우게스[44]가 소크라테스보다 성격이 더 좋지 않았다는 것을 우리는 어찌 알까요? 소크라테스가 더 명예롭게 죽었고, 소피스트들과 더 능숙하게 대화했으며, 한데에서 더 당당하게 밤을 지새우고, 그 사람을[45] 이끌어 오라는 명령을 거부하는 것이 더 고상하다 여겼고, (이 사실은 매우 의심스럽지만) 거리를 꿋꿋하게 걸었다는 것만으로 충분하지 않습니다.

오히려 우리는 소크라테스가 어떤 마음을 지녔는지, 그가 사람들에게는 공정하고 신에게는 경건한 것에 만족했는지, 남의 악행 때문에 화를 내거나 남의 무지에 종노릇하지 않았는지, 우주가 부여한 자신의 몫을 뭔가 낯선 것으로 또는 참을 수 없는 것으로 받아들이지 않았는지, 자신의 이성이 육신의 욕망에 공감하도록 내버려 두지는 않았는지를 반드시 관찰해야만 합니다.

67. 자연은 당신이 스스로 한계를 정하여 자기 일을 직접

---

44 피타고라스의 아들로 전해진다.

45 살라미스인 레온을 말한다. 『소크라테스의 변명』에 보면, 살라미스의 레온은 아테네의 30인 독재정치 때 반역죄를 선고받게 된다. 이때 소크라테스는 레온을 체포해 오라는 명령을 받았다. 그러나 소크라테스가 이 명을 거부했다고 전해진다.

하지 못하게 할 정도로, [지성을] 신체의 구조와 섞어놓지 않았습니다. 신적인 사람이 되고도 아무도 알아주지 않을 수 있기 때문입니다.

항상 이것을 명심하십시오. 행복한 삶을 사는 데 필요한 것은 정말 아주 사소한 것입니다. 당신이 변증가나 자연학자가 되겠다는 소망을 포기하였다 해도 이 때문에 자유, 염치, 사교, 신에 대한 순종을 그만두지 않도록 하십시오.

68. 온 세상이 온갖 원하는 바를 당신에게 요구하며 아우성칠지라도, 그리고 장성한 당신을 둘러싼 이 살덩어리를 짐승이 찢어버릴지라도, 강제 없는 거대한 평온의 경지 속에서 자유롭게 살 수 있는 것은 모두 당신의 힘에 달려 있습니다.

이런 온갖 것들 가운데 놓인 지성이 스스로 평온함 속에서, 그리고 주변 상황에 대해 공정하게 판단하며 주어진 바를 활용하고자 하는 태도를 유지하는 데에 대체 무엇이 방해된단 말인가요. 그러므로 자신의 시야에 무엇인가 들어오면 판단력은 이렇게 말할 것입니다. "비록 너는 겉으로는 다르게 보일지라도 실제로는 이렇다."

그리고 활용력은 자기 손에 주어진 것에 이렇게 말할 것입니다. "너를 찾고 있었다." 현재는 늘 내게 이성적이고 공동체적인 미덕이며 인간이나 신에게 속한 기예의 현실화이기 때문입니다. 일어나는 온갖 일들은 신이나 인간과 연관되어 있어서 새롭지도 않고 다루기 힘들지도 않은 것이며, 오히려 익숙하고 공들여 잘 마무리된 것입니다.

69. 도덕의 완성은 매일매일을 마지막 날인 양 살아가되 흥분하지도 무신경하지도, 그렇다고 위선자가 되지도 않는 것입니다.

70. 신들께서는 불멸하여 그토록 오랜 세월 그토록 보잘것없는 인간들을 끊임없이 참고 견뎌야 하는데도 역정을 내지 않았습니다. 게다가 신들께서는 여러 가지 방식으로 인간을 돌보십니다.[46] 하지만 당신은 곧 죽을 운명인데도 나쁜 것을 견디는 데 피곤해하고 있습니다. 당신은 보잘것없는 자 중 하나일 뿐입니다.

71. 우습군요, 자신의 악은 피할 수 있어도 피하지 않고, 남의 악은 피할 수 없는데도 피하려 합니다.

72. 이성적이고 공동체적인 능력에 지성도 사회성도 없다고 여기는 자가 있다면 자기 자신보다 더 열등한 자라고 판단하는 것이 옳습니다.

73. 당신이 선행을 하고 남이 그것을 받아들일 때마다 왜 그 외의 것을 찾나요? 마치 바보같이 선행을 보여주거나 보답을 받으려고 하는 것 같군요.

46　크세노폰은 『회상록』 1.4.5~18 등에서 인간을 돌보는 신들의 섭리와 은혜를 나열하고 있다.

74. 아무도 도움 받는 것에 싫증을 내지 않습니다. 그리고 남을 돕는 것은 본성에 일치합니다. 그러니 당신은 도움 받음과 동시에 남을 돕는 것에 싫증을 내지 마십시오.

75. 본래 온 천지의 본성은 우주를 만들도록 움직입니다. 지금 일어나는 온갖 일도 여기에서 따라오는 것입니다. 그렇지 않다면 아무리 우주가 자신의 충동을 따라 만든 것을 가장 잘 주관한다 할지라도 이성에 맞지 않습니다. 이 점을 기억하면 많은 일에서 당신은 평온할 수 있을 것입니다.

명상 포인트

1. 남에게 휘둘리지 않고 자신으로서
당당해질 수 있는 길을 생각해 보자.

2. 좋은 운수는
어디서 비롯되는 것일까?

3. 고통을 당할 때의
마음가짐은 어떠해야 하는가?

4. 최근에 스스로 어떤 변화를
겪은 적이 있는지 생각해 보자.

8권 현재의 시간 관리

1. 헛된 자만에서 벗어나십시오. 인간은 평생 또는 적어도 성인 이후로는 철학자로 살아갈 수 없습니다. 게다가 당신이 지혜를 사랑하는 일과는 동떨어져 있다는 것이 뭇 타인에게뿐만 아니라 당신 자신에게도 명확한 일이기 때문입니다. 당신이 혼란스러울 때 철학자라는 명성을 얻기는 쉽지 않습니다. 당신 인생의 근본과 충돌하고 있기 때문입니다.

진정 문제가 어디에 있는지 안다면 다른 사람에게 당신이 어떻게 보일까 하는 생각은 버리고, 본성이 원하는 대로 남은 삶을 사는 것에 만족하십시오. 본성이 원하는 것에 대해 깊이 생각하고 다른 어떤 것도 당신의 마음을 바꾸지 못하게 하십시오. 당신이 몹시 방황한 것은 삼단논법과 부유함, 명예, 그리고 쾌락 그 어느 것에서도 참삶을 발견하지 못했다는 것을 말해 줍니다.

그렇다면 참삶은 어디에 있나요? 본래 사람이 소망하는 것을 행함에 있습니다. 그렇다면 이것을 어떻게 행해야 하나요? 추진력과 행동의 원리를 지니고 있으면 됩니다. 이 원리란 무엇인가요? 선악의 원리입니다. 선은 사람을 올바르고 신중하고 용감하고 자유롭게 하며, 악은 지금 말한 것에 반대됩니다.

2. 모든 행위에 자문하십시오. "이 일은 나와 관련하여 어떻게 될까, 후회하지는 않을까?" 잠깐 후면 나는 죽고, 모두가 그러합니다. 만약에 내가 지금 행하는 일이 이성적이고 사회적이며 신과 동일한 법칙의 지배를 받는 존재의 일이라면 무엇을 더 바라겠나요?

3. 알렉산드로스, 가이우스, 폼페이우스도 디오게네스, 헤라클레이토스, 소크라테스와 비교하면 어떨까요? 후자들은 사물들, 그것들의 형상과 질료를 보았고, 그들의 주된 원리는 그것들을 관리하는 이성과 동일한 것이었습니다. 하지만 전자들은 얼마나 많은 것을 염려하고, 얼마나 많은 것에 종살이했나요?

4. 당신이 모욕을 당해 분노가 폭발하여도 사람들은 같은 일을 하고 있을 것입니다.

5. 우선 동요하지 마십시오. 만물은 우주의 본성을 따릅니다. 당신도 잠깐 후면 하드리아누스나 아우구스투스가 이곳에 없는 것처럼 어느 곳에도 존재하지 않을 것입니다. 다음으론 당신의 일에 집중하며 일 자체를 보도록 하십시오.

동시에 당신은 선한 인간이 되어야만 한다는 것을 기억하고, 본래의 인간에게 요청되는 것은 무엇이든지 즉시 행하십시오. 당신에게 가장 옳게 보이는 대로 말하십시오. 오로지 예의 바르고 거짓 없이 상냥하십시오.

6. 우주의 본성은 이런 일을 합니다. 즉 여기 있는 것을 저리 옮겨서 뒤집고, 여기서 들어 저리로 옮기는 일을 합니다. 만물은 변화하니 만물이 새로워질까 봐 두려워할 필요가 없습니다. 만물은 익숙한 것들이지만, 운의 분배는 공평합니다.

7. 모든 본성은 자신의 길을 잘 가야 만족하고, 이성적 본성은 거짓되고 분명치 않은 상상에 동의하지 않음으로써 자신의 길을 잘 갑니다. 그리고 충동들이 오로지 공동체적 일로 향하게 하고, 욕망과 혐오는 자신의 통제 범위 안에 한정하고, 공통 본성에 의해 주어진 모든 것에 만족할 때, 이성적 본성은 자신의 길을 잘 갑니다.

잎의 본성이 식물 본성의 일부이듯이 각각의 개별적 본성은 공통 본성의 일부분입니다. 차이가 있다면 식물에서 잎의 본성은 감각도 없고 이성이나 지각도 없고 본래 외부의 방해를 받는 부분이면서 각각의 잎에 제 몫의 시간과 물질, 원인, 활동, 사건을 각자의 가치에 따라 공평하게 나누어 주는 반면에, 인간의 본성은 방해에 굴복하지 않고 본래 지적이고 정의롭다는 점입니다. 모든 관점에서 하나하나를 비교하며 공평을 찾지 말고, 이 무리 전체를 다른 무리 전체와 비교하면서 찾으십시오.

8. 알아차리는 것이 불가능하더라도 당신은 자신의 교만을 물리칠 수 있고 쾌락과 고통을 제어할 수 있고 명예욕을 초월할 수 있으며 배은망덕한 자들에게 성내지 않고 오히려 그들을 보살필 수 있습니다.[1]

9. 누구도 더 이상 궁중 삶에 대한 당신의 불평을 듣지 못하게 하고, 당신 자신조차도 당신 말을 듣지 못하게 하십시오.

10. 후회는 유익한 것을 잃었다는 일종의 자책이지만, 선한 것은 반드시 유익한 것이어야만 하고, 착하고 좋은 사람은 선에 관심을 가져야만 합니다. 그런 사람은 쾌락을 잃어서 후회하지는 않을 것입니다. 쾌락은 유익한 것도 선한 것도 아닙니다.

11. 여기 이것은 이 자체로 무엇이며 그 구조는 무엇인가요? 그것의 실체와 재료는 무엇인가요? 그 원인은 무엇이

---

[1] 무엇을 하든지 간에 본성이 동반되기 때문에 미덕을 행하는 시간이 지체되지 않는다는 의미다.

며, 그것은 우주에서 무엇을 하며 또 얼마 동안 거기에 있나요?

12. 마지못해 잠에서 일어날 때마다 다음을 기억하십시오. 사회적 활동은 당신의 체질과 인간 본성에 따르는 일입니다. 하지만 잠은 이성이 없는 동물에게도 공통적입니다. 각자의 본성을 따르는 것이 또한 각자에게 더 친숙하고 더 적합하며 더 기분 좋은 것입니다.

13. 계속해서 가능하다면 모든 상상력을 자연학과 윤리학과 논리학의 원리에 비추도록 하십시오.

14. 누구를 만나든 "이 사람은 선악에 관하여 어떤 의견이 있을까?" 하고 즉시 자문하십시오. 그가 쾌락과 고통, 그 둘의 원인에 관하여, 그리고 명예와 불명예, 삶과 죽음에 관하여 이러저러한 의견을 갖고 이러저러한 행동을 하더라도 나는 놀라지 않을 것이고, 그를 조금도 이상하게 여기지 않을 것입니다. 나는 그가 반드시 그렇게 할 수밖에 없다는 것을 기억할 것입니다.

15. 기억하십시오. 우주가 지니고 있던 무엇인가를 낳는다고 놀라는 것은 무화과나무에 무화과가 열리는 것을 보고 놀라는 것만큼이나 부끄러운 것입니다. 의사가 환자의 열 때문에, 키잡이가 역풍 때문에 놀란다면 이 역시 부끄러운 일입니다.

16. 기억하십시오. 당신의 생각을 바꾸고 당신의 생각을 바로잡아 주는 자를 따르는 것이야말로 자유에 부합합니다. 당신의 충동과 판단, 또한 당신 지성에 따라 행한 활동이 당신 것인 까닭입니다.

17. 어떤 일이 당신에게 달렸다면 왜 그런 일을 하였나요? 하지만 다른 것에 달렸다면 당신은 무엇을 비난할 것인가요? 원자를? 신을? 둘 다 정신 나간 짓입니다. 둘 다 비난해서는 안 됩니다. 할 수 있다면 당신을 바로잡으십시오. 그것이 안 된다면 일 자체를 바로잡으십시오. 만일 그것도 안 된다면 당신에게 비난이 무슨 유익이 있나요? 계획 없이는 아무 일도 행해서는 안 됩니다.

18. 죽는다는 것은 우주 밖으로 떨어지는 것이 아닙니다. 죽어서 우주에 머문다면 여기서 변하여 원래의 것, 우주와 당신의 원소로 풀어지는 것입니다. 그 원소들 자체도 변하지만 아무 말이 없습니다.

19. 한 마리의 말도, 한 그루의 포도나무도 제각각 어떤 목적을 위하여 생겼습니다. 왜 놀라나요? 태양도 어떤 목적을 이루려고 생겼다고 말할 것이며, 여타 신들도 마찬가지입니다. 그러면 당신은 무슨 목적을 위하여 생겼나요? 쾌락을 위함인가요? 그것이 인정될 만한지 심사숙고해 보십시오.

20. 자연은 마치 공을 위로 던지는 사람처럼 모든 것에 처

음과 중간만이 아니라 끝도 유념하겠지만, 위로 던져진 공이 좋을 게 무엇이고 내려와 떨어진 공이 나쁠 게 무엇인가요? 물거품이 일어 좋은 게 무엇이고 물거품이 사라진들 나쁠 게 무엇인가요? 등불도 마찬가지입니다.

21. 몸이 늙거나 아프거나 병에 걸리면 어떻게 되는지 면밀히 파헤쳐 살피십시오.

칭찬하는 자도 칭찬받는 자도 기억하는 자도 기억되는 자도 짧게 살다 갑니다. 세계의 이 구석에서조차 그런 일이 일어나고 있습니다. 심지어 여기서는 모두가 의견이 동일하지 않습니다. 자신의 의견조차 동일하지 않습니다. 지구 전체 또한 하나의 점일 뿐입니다.

22. 당신 앞에 있는 문제와 관련하여 의견, 활동, 의미에 주목하십시오. 이것 때문에 고통을 겪는 것은 당연합니다. 오늘보다는 내일 더 좋은 이가 되고 싶기 때문입니다.

23. 나는 무엇을 하고 있나요? 나는 인류의 선과 관련한 것을 행합니다. 내게 무슨 일이 일어나고 있나요? 나는 그 일을 받아들여 신들과 만물이 흘러나오는 모든 것의 원천에 귀속시킵니다.

24. 목욕은 당신에게 올리브기름, 땀, 때, 더러운 물, 역겨운 모든 것들을 드러내 보입니다. 인생의 온갖 부분과 온갖 체험도 그러합니다.

25. 루킬라가 우에로스[2]를 매장하더니, 그 후 루킬라도 매장되었습니다.[3] 세쿤다는 막시무스[4]를 매장하더니, 그 후 세쿤다도 매장되었습니다.[5] 에피팅카노스가 디오테모스[6]를 매장하더니, 그 후 에피팅카노스도 매장되었습니다. 안토니누스가 파우스티나[7]를 매장하더니, 그 후 안토니누스도 매장되었습니다.[8] 만사가 이러합니다. 켈레르[9]는 하드리아누스를 매장하더니, 그 후 켈레르도 매장되었습니다.[10]

저 명석한 자들, 저 선견자들, 저 오만방자한 자들은 어디에 있나요? 예컨대 카락스와 플라톤학파의 데메트리오스[11]와 에우다이몬[12] 등과 같은 명석한 자들은 지금 어디 있단 말인가

2 루킬라는 아우렐리우스의 친모, 우에로스는 아우렐리우스의 친부인 베루스를 말한다.

3 문장에 동사가 생략되어 있다. '매장하다'와 '매장되다'라는 뜻의 동사가 가장 적합하다고 보고 보충했다.

4 세쿤다는 막시무스의 아내이고, 막시무스는 스토아 학파에 속한 철학자로 아우렐리우스가 그를 집정관으로 임명했다.

5 같은 권 3번 각주와 내용 동일.

6 하드리아누스가 해방시킨 노예.

7 안토니누스의 부인.

8 같은 권 3번 각주와 내용 동일.

9 하드리아누스의 시종이며 연설가.

10 같은 권 3번 각주와 내용 동일.

11 그리스 견유학파 철학자이다. 플라톤 학파라고 한 것은 아우렐리우스가 잘못 알았던 것으로 추측된다.

12 그리스의 천문학자.

요? 모두 하루살이에 불과하며 오래전에 죽었습니다.

더러는 잠시도 기억에 남지 않았고, 더러는 이야기로만 회자되었고, 더러는 이미 이야기에서조차 사라졌습니다. 기억하십시오. 반드시 당신 몸뚱이는 해체되고 당신의 가냘픈 숨결도 사그라들고 변화되어 다른 곳으로 갈 것입니다.

26. 인간의 기쁨은 인간다운 일을 하는 것입니다. 인간다운 일이란 인류에게 친절하고 감각의 동요를 멸시하고 그럴듯한 인상에 대해 판단해 내며[13] 우주와 우주에서 생성된 만물에 대해 숙고하는 것입니다.

27. 당신에게는 세 가지 관계가 있습니다. 하나는 당신을 담고 있는 몸과의 관계, 두 번째는 모든 것을 발생시키는 신적 원인과의 관계, 세 번째는 당신과 더불어 사는 이들과의 관계입니다.

28. 고통은 몸이 대가를 치르고 몸이나 마음에 나쁘지만, 반드시 자신만의 침착과 평정을 유지하며 그것을 재앙으로 생각하지 않아야 합니다. 판단, 충동, 욕구, 혐오는 전부 안에서 생기는 것이지 밖에서 오는 것이 아니기 때문입니다.

29. 몽상을 모조리 쓸어내도록 스스로에게 계속 되뇌이십시오. 마음에는 어떤 추악도 어떤 욕망도 어떤 큰 혼란도 생기

---

13 '판단'은 스토아주의의 전문용어로, 판단에 오류가 생기면 잘못된 인상을 선택하기 때문에 분별해야 한다.

게 하지 않는 힘이 있습니다. 만물이 어떤 종류의 것인지 살펴보고서 각각을 적합하게 활용하겠다고 하십시오. 이런 능력을 자연적으로 지니고 있음을 기억하십시오.

30. 원로원에 말하든지 개인에게 말하든지, 꾸미지 말고 적절하게 말하고 건전한 표현을 사용하십시오.

31. 아우구스투스의 궁전, 부인, 딸, 자손들, 선조들, 누이, 아그립파,[14] 친척들, 하인들, 친구들, 아레이오스,[15] 마이케나스,[16] 의사들, 제사장들, 궁전 전부가 사라졌습니다. 이제 다른 궁전들로 가보십시오. 폼페이우스에 속한 자들처럼 한 사람만 죽은 것이 아닙니다.

거기 묘비에 새겨져 있는 것을 보십시오. "이 가문의 마지막 사람이다." 이전 사람들이 대를 이으려고 얼마나 애를 썼을까요. 이윽고 누군가가 마지막이 되었으니 가문 전체가 다 죽은 것입니다.

32. 당신은 행동 하나하나로 당신 인생을 만들되, 그 하나하나의 행동이 나름대로 목적을 달성하면 이에 만족해야 합니다. 매 행동이 그렇게 되지 못하도록 당신을 막을 수 있는 사람

---

14   아우구스투스 황제의 정치 고문. 악티움 해전에서 안토니우스와 클레오파트라의 연합 함대를 무찌르는 데 결정적인 역할을 했다.

15   아우구스투스 황제의 정치 고문이자 스토아 학파의 철학자.

16   아우구스투스의 절친한 친구이며 베르길리우스, 호라티우스, 프로페르티우스 등의 시인을 후원한 사람.

은 한 명도 없습니다.

외부로부터 방해가 생길 수 있습니다. 그래도 당신이 의롭고 사려 깊고 분별력 있게 행동하는 것을 막지는 못할 것입니다. 같은 방식으로 다른 활동이 방해를 받을 때 그런 방해를 기꺼이 받아들이면서 좋은 감정으로 넘어가면, 우리가 말하는 이 질서에 적합한 다른 활동이 발생할 것입니다.

33. 겸손하게 받아들이고, 준비된 듯이 내어주십시오.

34. 손이나 발, 머리가 잘려서 몸뚱이와 떨어져 있는 것을 본 적 있을 것입니다. 일어난 일에 만족하지 않고 자신을 다른 사람으로부터 고립시키는 자는, 자신을 자연적 통일체로부터 떨어뜨리는 것입니다. 당신은 갈라져 나온 한 부분으로 자연에 붙어 있다가 지금은 떨어져 있습니다. 하지만 그래도 당신이 당신의 통일체로 다시 돌아갈 수 있다는 것은 얼마나 아름다운 섭리인가요.

신은 한 부분이 떨어지고 잘려 나갔다가 다른 부분에 다시 결합할 수 있도록 허락지 않으셨으니, 신이 인간에게 준 그 선의를 살피십시오. 신은 처음부터 인간이 전체와 떨어지지 못하게 했고 혹시 떨어져 있더라도 다시 돌아와 함께 자라면서 한 부분으로 제 역할을 다시 할 수 있도록 했습니다.

35. 본래의 우주가 이성적 존재 각자에게 여러 다른 능력을 주었으므로 우리도 이 능력을 받았습니다. 곧 간섭하고 방

해하는 모든 것을 본래의 우주가 뒤집어서 자신이 운명 지은 장소에 그것들을 고정시켰듯이, 그렇게 이성적 동물인 인간 또한 모든 장애물을 자신을 위한 재료로 삼고 그것을 자신이 추구해 나가는 것에 활용합니다.

36. 당신 인생 전체를 생각하며 스스로 좌절하지 마십시오. 당신에게 닥칠 고통을 한꺼번에 상상하지 말고, 각각의 고통에 대해 "이번 일에서 참을 수 없고 버텨낼 수 없는 일은 과연 무엇인가?"라고 자문해 보십시오. 고백하기에 부끄러울 것입니다.

명심하십시오. 늘 당신을 괴롭히는 것은 미래와 과거가 아니라, 현재입니다. 하지만 만약 현재에 시한을 정한 후 내 앞에 닥친 일이 감당할 수 있는 작은 일이라고 생각을 고쳐먹으면 그것은 훨씬 더 가벼워질 수 있습니다.

37. 판테이아나 페르가모스[17]가 지금도 여전히 베루스의 무덤에 앉아 있나요? 또 카브리아스나 디오티모스[18]는 하드리아누스의 무덤에 앉아 있나요? 얼마나 우스꽝스러운가요. 이건 어떤가요? 그들이 지금까지 앉아 있다고 해서 죽은 자들이 알게 될까요?

아니면, 무덤에 앉은 자들이 죽은 자를 흠모한다고 해서

---

17   베루스의 첩과 베루스가 아끼던 해방 노예.
18   두 사람 모두 하드리아누스의 첩이다.

그들이 불사(不死)하기라도 할까요? 그들도 우선 노인이 된 다음 죽을 운명이 아닌가요? 이들이 죽고 나면 또 무덤에 앉은 자들은 무엇을 할까요? 이 모두가 자루에 있는 고약한 냄새와 썩은 피에 불과합니다.

38. "날카롭게 볼 수 있다면, 가장 지혜롭게 보고 판단하라."라고 시인[19]이 말했습니다.

39. 이성적 동물의 기질에서 정의와 상반된 덕을 당신이 보지 못하였지만, 쾌락과 상반된 덕, 절제는 보았습니다.

40. 당신을 고통스럽게 한다고 여기는 것에 대한 당신의 의견을 버린다면 당신 자신은 가장 안전해질 것입니다. "여기서 당신 자신은 누구인가요?" 이성 말입니다. "내가 이성은 아니에요." 그러나 이성이라고 해보세요. 그리하여 이성 자체가 자신을 고통스럽게 하지 않도록 하십시오. 하지만 당신의 다른 부분이 고통을 받는다면 그것이 자신에 관하여 의견을 갖도록 허락하십시오.[20]

41. 감각을 막는 것은 동물의 본성에 해롭고, 충동을 막는 것도 마찬가지로 동물에게 해롭습니다. 마찬가지로 식물 조직

19   누구인지 알려져 있지 않다.
20   이성을 당신 자신으로 놓고, 대화체 형식으로 일종의 역할극을 한다. 이성이 고통을 받을 경우는 의견을 버리고, 이성 외의 부분이 고통을 당하면 고통당하는 것에 대해 의견을 가지라고 한다.

에도 다른 뭔가가 장애와 훼방이 됩니다. 이처럼 지성에 방해가 되는 것도 지성의 본성에 해로운 것입니다. 이 모두를 당신 자신에게 적용해 보십시오.

고통이나 감각적 쾌락이 당신에게 영향을 미치나요? 감각을 살피세요. 충동에 간섭이 생겼나요? 보류 조건을 따지지 않고 발생한 충동이라면 이성적 존재로 간주되는 당신에게 확실히 해가 된 듯합니다.

하지만 간섭을 사물의 일상적인 과정으로 받아들이면 당신은 해를 입지도 훼방을 받지도 않을 것입니다. 다른 사람이 지성의 고유한 것들을 훼방하지 못합니다. 불과 검, 폭군, 모독, 이와 같은 다른 어떤 것도 지성을 건드리지 못하기 때문입니다. 일단 공처럼 둥글게 되면 원형을 유지하는 법입니다.

42. 나 자신을 슬프게 하는 것은 내게 어울리지 않습니다. 내가 다른 자를 일부러 슬프게 하지 않기 때문입니다.

43. 서로서로 다른 것으로 기뻐합니다. 나를 기쁘게 하는 것은, 나의 관리하는 이성이 건전하여 상대가 어떤 사람이든지 사람에게 어떤 일이 일어나든지 거부하지 않고 모든 것을 호의적인 눈으로 받아들여서 그것들을 각각의 가치에 걸맞게 활용하는 것입니다.

44. 보십시오. 현재의 이 순간을 자신에게 선물로 주십시오. 무엇보다 사후 명성을 더 추구하는 자들은, 후세 사람들도

지금 자신에게 부담을 주는 자들과 매한가지임과 후세 사람들도 죽게 됨을 생각하지 못하고 있습니다. 후세 사람들이 이런저런 소리로 대답하든지 당신에 대해 이런저런 의견을 갖든지, 도대체 그게 당신과 무슨 상관이겠습니까?

45. 나를 데려가 당신이 원하는 곳으로 내던져 보십시오. 거기서도 내 마음을 고요하게 하며 만족할 것입니다. 만약 마음의 고유한 구조에 맞춰 편안히 느끼고 활동한다면 말입니다. 과연 장소를 옮겼다고 내 마음이 불행하게 되고 더 나빠지며 우울해지고 탐닉하고 떨고 두려워한단 말인가요? 당신은 어떻게 이것이 그럴듯하다고 생각하나요?

46. 사람에게는 사람에게 속하지 않는 어떤 사건도 일어날 수 없고, 소에게는 소에게 속하지 않는 어떤 사건도 일어날 수 없으며, 포도나무에는 포도나무에 속하지 않는 어떤 사건도 일어날 수 없고, 돌에는 돌에 속하지 않는 어떤 사건도 일어날 수 없습니다. 그래서 각자에게 익숙하고 자연스러운 일이 일어난다면 당신은 어찌 견딜 수 없단 말인가요? 자연 일반은 당신에게 감당할 수 없는 것을 주지 않습니다.

47. 당신이 외부의 어떤 일로 슬퍼한다면, 그것이 당신을 괴롭히는 것이 아니라 그것에 대한 당신의 판단이 스스로를 괴롭히는 것이고, 그것을 당장 뿌리치는 것은 당신 자신에게 달렸습니다. 반면에 당신을 고통스럽게 하는 것이 당신 마음

속에 있는 어떤 것이라면, 당신이 자기 생각을 고치는 것을 누가 막겠습니까?

마찬가지로 당신에게 건전해 보이는 뭔가를 실천하지 않아서 고통스러운 것이라면, 불평하느니 왜 차라리 실천하지 않나요? "뭔가 더 강한 것이 길을 막고 있어요." 그래도 슬퍼하지 마십시오. 실천 못 하는 원인은 당신에게 없기 때문입니다. "하지만 이것이 행해지지 않으면 인생은 살 만하지 않아요." 그러면 기꺼이 인생을 떠나되 목적을 완수하다가 죽은 사람처럼 감사하는 마음으로 가로놓인 것들을 받아들이십시오.

48. 명심하십시오. 자신의 위치에서 불합리하더라도[21] 관리하는 능력은 자신에게로 물러나서 원치 않는 일을 하지 않을 때 오히려 천하무적입니다. 그런데 그것이 어떤 것에 대해 이치를 따져 신중하게 판단할 때는 어떨까요?

그러므로 정염에서 자유로운 지성은 성채와 같으니 이보다 더 강력한 요새는 사람에게 없습니다. 그곳으로 피하면 남은 날 동안 난공불락입니다. 이것을 모르는 자는 무식한 자요, 알면서도 그곳으로 피신하지 않는 자들은 불운한 자입니다.

49. 첫인상 외에 덧붙여진 상상을 자신에게 말하지 마십시오. 아무개가 당신을 악담했다고 전해 들었다고 상상해도

---

21 '불합리성'은 관리하는 이성이 제대로 역할을 하지 않을 때 나타나게 된다.

당신이 해를 입었다는 말은 듣지 않은 것입니다. 내 아이가 아픈 것을 보고 있다면 이것만 보았을 뿐 위험에 처한 것은 보지 않았습니다. 항상 첫인상만 남길 뿐 거기에 뭔가를 연관시키지 말고 내부에 남기지도 마십시오. 오히려 우주에서 일어나는 모든 일을 아는 대로 덧붙여 보십시오.

50. "오이가 써요." 내버리십시오. "길가에 가시나무가 있어요." 비켜나십시오. 이것으로 족합니다. "어찌하여 그런 것들이 세상에 생겼죠?"라고 덧붙이지 마십시오. 그렇게 하면 당신은 자연을 곰곰이 헤아리는 자에게 웃음거리가 될 뿐입니다.

마치 작업장에 대팻밥과 가죽 조각이 보인다고 말해서 목수와 가죽 장인에게 비웃음거리가 되는 것과 같습니다. 저들에게는 이런 것들을 버릴 곳이 있으나 본래의 자연 세계 바깥에는 아무것도 없습니다.

하지만 자연 기술의 놀라운 점은, 자신을 한정시키지만 자신 안에 있는 모든 것, 그러니까 소멸하거나 닳거나 쓸모없어 보이는 온갖 것을 자신으로 변화시키고, 바로 그것으로부터 새로운 다른 것을 만든다는 것입니다. 결국 바깥의 존재도 소멸된 것들의 처리장도 필요 없게 됩니다. 자연의 장소, 자연의 재료, 자연의 기술이면 충분합니다.

51. 행동에 뜸 들이지 말고 대화를 혼란스럽게 만들지 마십시오. 상상 속에서 헤매지 말고, 당신 마음이 하나에 너무

몰두하거나 비약하지 않도록 하고, 삶에 분주해지지도 마십시오.

누군가 당신을 죽이거나 몸을 난도질하거나 또는 저주하며 쫓아온다고 해보십시오. 당신의 지성이 순수하고 사려 깊고 지혜롭고 올바르도록 하는 것과 이것이 무슨 상관이란 말인가요? 만일 누군가 맑고 물맛 좋은 옹달샘 옆에 서서 샘물을 저주한다 해도, 샘은 생수가 솟는 일을 멈추지 않습니다. 누군가 그 샘에 진흙이나 오물을 던져 넣어도 샘은 급히 그것을 흘어내고 씻어내서 흐려지지 않습니다.

그렇다면 당신은 어떻게 해야 우물이 아닌, 늘 맑은 물이 솟는 옹달샘을 가지게 될까요? 날마다 상냥하고 단순하고 겸손한 태도로 마음이 자유로워지는 데 집중하십시오.

52. 세상이 무엇인지 알지 못하는 자는, 자신이 어디에 있는지를 알지 못합니다. 그러니까 세상이 무슨 목적을 위하여 존재하는지를 알지 못하는 자는, 자신이 누구이며 세상이 무엇인지 알지 못합니다.

이것들 중 하나라도 알지 못하면 자신이 왜[22] 태어났는지도 말하지 못할 것입니다. 자신이 어디에 있는지도 모르고 누구인지도 모르는 자들이 헐뜯기도 하고 동시에 칭찬하기도 하

---

22 앞 문단에서 목적에 대한 질문을 '무엇'이라고 옮겼지만, 이 문단에서는 가치(이유)에 대한 질문이라 '왜'로 옮겼다. 가치는 '왜'에 해당하고 목적은 '무엇'에 해당한다.

는 것에 사람들은 왜 목매는 걸까요? 사람들이 왜 추구한다고 생각하나요? 또는 왜 그렇게 피하려고 하는 걸까요?

53. 당신은 매 시간마다 세 번씩 자기 자신을 저주하는 자로부터 칭찬받기를 원하나요? 당신은 자기 자신에게 만족하지 않는 자가 당신을 만족시켜 주기를 원하나요? 자신이 하는 거의 모든 일을 후회하는 자가 자기 자신에게 만족할까요?

54. 당신을 둘러싸고 있는 공기와 당신의 숨결이 함께 어우러질 뿐만 아니라, 이제는 당신의 지성이 만물을 둘러싼 지성과 조화를 이루도록 하십시오. 공기의 힘이 공기를 들이마실 수 있는 자를 위해 각 부분에 퍼지고 만물에 스며들듯이, 지성의 힘도 지성을 기꺼이 끌어당기는 자를 위해 모든 부분에 퍼지고 만물에 스며듭니다.

55. 일반적으로 악은 우주에 해를 끼치지 못할 뿐만 아니라 구체적으로 다른 이에게도 해를 끼치지 못합니다. 악은 악을 행한 자에게만 해를 끼치니 스스로 원하기만 하면 악에서 빠져나올 수 있습니다.

56. 이웃의 호흡과 살이 나의 것과 다른 만큼 이웃의 의지와 나의 의지는 다릅니다. 우리는 무엇보다 서로를 돕기 위해 태어났음에도 불구하고 우리 각자의 관리하는 이성은 각자의 고유한 주권을 갖고 있습니다. 왜냐하면 이웃의 악이 내게 악이 되거나 내 불행이 다른 사람에게 달려 있는 것을 신은 원치

않으셨기 때문입니다.

57. 햇빛이 아래로 쏟아져 만방으로 스며드는 것처럼 보이지만, 결코 흘러서 없어지지 않습니다. 빛의 발산은 빛의 확장이기 때문입니다. 그래서 '햇빛이 확장되다.'라는 말에서 유래해 '확장자'라고 불리니,[23] 그 빛이 무엇인지 알게 될 때는 햇빛이 어떤 좁은 곳을 통해 어두컴컴한 집으로 들어오는 것을 볼 경우입니다. 햇빛은 곧게 확장되고 공기가 통과하지 못하는 단단한 것에 닿으면 거기에 기댑니다. 거기서 빛은 정지할 뿐이고 미끄러지거나 떨어지는 것이 아닙니다.

지성의 발산과 퍼져나감도 이런 것이어야만 하고 지성은 어떤 식으로든 발산이 아니라 확장이어야 합니다. 빛처럼 지성은 장애물에 억지로 격하게 부딪히거나 아래로 떨어지지 않고 멈추어서 지성을 받아들이는 것을 비춥니다. 왜냐하면 지성을 통과시키지 않는다면 물체는 스스로 빛을 빼앗기기 때문입니다.

58. 죽음을 겁내는 자는 감각이 사라짐을 겁내는 것이거나, 감각이 바뀌는 것을 겁내는 것입니다. 하지만 감각이 없다면, 당신은 어떤 해도 감각하지 못합니다. 다른 종류의 감각을

---

23 원문에서 아우렐리우스는 '에크테이네스타이(확장되다)'에서 '아크티스(햇빛)'가 유래되었다고 하고 있다. 하지만 이것은 어원학상으로 잘못된 것이므로 문맥을 살려 '햇빛' 대신 '확장자'로 번역했다.

획득한다면, 당신은 다른 생물이 되어 생을 멈추지 않을 것입니다.

59. 사람은 서로를 돕기 위해 태어났으니, 사람을 안내하거나 인내하십시오.

60. 화살 가는 법 다르고, 지성 가는 법 다릅니다. 지성은 조심할 때도 자세히 검토할 때도 곧게 목표를 향하여 나아가기 때문입니다.

61. 각자는 관리하는 이성으로 들어가되, 모든 타인들도 자신을 관리하는 이성으로 들어가게 허락하십시오.

명상 포인트

1. 일상에서 기쁨을 찾는다면
어떤 것들인가?

2. 우리가 관계 맺고 있는
세 가지는 무엇인가?

3. 고난을 이기는
법은 무엇인가?

4. 나는 어떤 도움을 받은 적이 있는가?
또 남에게 무슨 도움을 주었는가?

9권 선택의 자유

1. 불의를 저지르는 것은 불경입니다. 우주의 본성은 각 부분들이 서로 돕도록 하여 그 결과가 당연한 응보로 나타나고, 이성적 동물들은 서로 위하도록 만들었습니다. 서로 해를 끼치도록 만들지 않았지요. 이 우주의 뜻을 위반하는 자는 분명 최고의 신에게 불경을 범하는 것입니다.

사람에게 거짓을 일삼는 것은 신에게도 불경한 것입니다. 우주의 본성은 곧, 현재 일어나는 일의 본성입니다. 현재 일은 생성을 목표로 합니다. 이런 우주의 본성이 진리라 불리고, 참된 모든 것의 첫 근원입니다. 따라서 일부러 행하는 거짓은 불의를 범하기에 불경입니다.

반면 본의 아니게 행하는 거짓은 만물의 본성과 불일치

하고 세계의 본성에 거슬러 어그러지기에 불경입니다. 진리와 상반되는 곳으로 인도되는 것은 우주의 본성과 다투는 것입니다. 자연으로부터 능력을 받았는데도 그것을 무시하여 이제 거짓과 진리를 구별하지 못하는 까닭입니다.

환락을 좋다고 따르고, 고통을 나쁘다고 피하는 자도 불경합니다. 그런 사람은 마치 우주의 본성이 악인과 선인에게 몫을 잘못 나누어 반대의 응보로 나타났다고 비난하는 것과 같습니다. 악인은 자주 환락에 젖어 거기서 나온 것을 즐기고, 선인은 고통에 잠겨 거기서 생긴 것에 허우적댑니다.

심지어 고통에 빠져 장차 우주에서 생길 일이 무엇인지도 모르면서 두려워하는 것도 이미 불경입니다. 환락에 젖는 것도 불의를 삼가지 않으니 분명 이것도 불경입니다.

우주의 본성에 동등한 영향을 받는 사물을 대할 때, 우주의 본성이 공평하게 대한 것을 공평하게 대해야만 합니다. 이 본성이 환락과 고통, 이 두 가지를 공평하게 대하지 않는다면 이 두 가지를 만들지도 않았을 것입니다. 생사고락(生死苦樂)과 영욕(榮辱), 즉 만물의 본성이 공평하게 만든 것을 당신 스스로 공평하게 대하지 않는 것은 분명 불경입니다.

내가 말합니다. 우주의 본성이 이것들을 공평하게 대한다는 것은 섭리의 근원적인 어떤 충동에 따라 생성된 일과 연이어 생성된 일이 공평하게 발생했다는 것입니다. 이 본성은 태초의 충동에 따라 미래의 어떤 원리까지 모아, 근본을 만드는 생산력, 변화, 연이은 재생산을 정하였습니다.

2. 은혜를 받은 자의 몫은 거짓과 온갖 위선, 사치, 오만을 맛보지 않은 채 인생을 끝마치는 것입니다. 이런 것들로 가득 찼다면 목숨을 끊는 게 차선책이겠지요. 그런데도 당신은 이런 나쁜 것 주위에 머물기를 좋아할 셈인가요?

심지어 당신의 경험이 이런 악질[1]로부터 피하라고 호소하지 않던가요? 지성의 붕괴는 우리를 둘러싼 대기 오염이나 변질보다 더 심한 악질입니다. 대기 오염은 동물을 병들게 하지만, 지성의 붕괴는 사람을 병들게 합니다.

3. 죽음을 가볍게 여기지 말고 향유하십시오. 자연에 필요한 것들 가운데 하나가 죽음이기 때문입니다. 태어나더니 늙고, 자라더니 청춘이 되고, 치아와 머리털이 나더니 백발이 되고, 사람이 씨 뿌리더니 잉태하고 해산하는 것처럼 세월이 선사하는 그 밖의 작용도 이렇듯 풀어집니다.

따라서 경멸하는 태도로 부주의하거나 참을성 없이 죽음

---

1   이 전염병은 165~180년도에 발생했다. 이 병을 상세히 기술한 갈레누스의 이름을 따서 '갈레누스의 역병'이라고도 하고, 마르쿠스 아우렐리우스 안토니누스의 이름을 따서 '안토니누스의 역병'이라고도 한다.
  *아우렐리우스 사후인 189년에도 전염병이 창궐했다는 보고가 있는데, 두 전염병으로 인한 총 사망자 수는 500만 명으로 추산되지만 정확한 수는 아직 학계에서 발표되지 않았다. 역사학에서는 이 두 번의 전염병을 모두 '악질'에 포함시킨다.

을 생각하지 말고, 자연의 과정 중 하나로 여기며 기다리는 것이 이성적인 사람의 태도입니다. 당신은 이제 아내의 자궁에서 아이가 태어날 순간을 기다리듯, 당신의 영혼이 당신의 살가죽에서 빠져나갈 때를 기다리십시오.

하지만 평범한 것을 통해 당신이 위안을 얻으려 한다면, 당신과 멀어지는 사물들, 그리고 이젠 당신의 마음과 더 이상 함께하지 않는 세상 사람들의 도덕을 한 발 물러나 관찰함으로써 죽음과 화해하게 될 것입니다. 그러니 세상 사람들 때문에 기분 상하지 말고, 그들에게 관심을 갖고 온유하게 대하십시오.

삶에서 당신과 동일한 원리를 가진 사람들은 당신 곁을 떠나지 않는다는 것을 명심하십시오. 동일한 원리를 유지하는 사람들과 함께 사는 것이 어떤 형태로든 허락된다면 아마도 이것만이 우리를 생으로 이끌고 몰입하게 할 것입니다. 하지만 지금 당신은 함께하는 사람들과 불화하며 큰 상처를 입고 있지 않나요? "오, 죽음아, 어서 와다오, 나 또한 나 자신을 잊기 전에!"

4. 죄짓는 자는 자신에게 죄짓는 것이요, 불의한 자는 자신에게 불의한 것이니, 자신을 악하게 만들기 때문입니다.[2]

---

2   이런 생각은 플라톤의 『고르기아스』에 나타난다. 이후 스토아 사상에 흘러들었다.

5. 종종 무엇을 하는 사람뿐만 아니라, 무엇을 하지 않는 사람도 자주 불의를 저지릅니다.

6. 현재의 생각이 이해에 기반하고, 현재의 행위가 사회의 선을 목표로 하며, 당신의 기질이 외부로부터 생성된 온갖 것에 만족한다면, 이로써 충분합니다.

7. 망상을 지워버리십시오. 충동질을 멈추십시오. 욕망을 꺼버리십시오. 관리하는 이성이 자신에게 작동하도록 만드십시오.

8. 비이성적 동물에게는 하나의 생명만 주어지고, 이성적 동물에게는 지적 마음이 하나 더 주어졌습니다. 마치 하나의 대지가 대지의 본성을 지닌 것들 모두를 위하듯, 하나의 빛이 시력과 활력을 지닌 우리 모두를 보게 하며, 하나의 공기가 우리 모두를 호흡하게 합니다.

9. 만물은 자신들이 속한 어떤 공통적인 것을 함께 나누어 가진 동류에게로 향합니다. 흙에 속한 것들은 모두 흙으로 향하고, 축축한 것은 모두 한곳으로 흘러가 모이고, 공기에 속한 것도 동일하여서, 하나가 되려는 것들을 서로 떼어내려면 힘이 필요합니다. 불[3]은 불의 원소 때문에 위로 향하지만 여기에 있는 불과 함께 불붙을 준비가 되어 있는 데다가 재료가 더 건

---

3   스토아주의 우주론에서 불은 가장 가벼운 원소로서 하늘의 상부 지역을 차지한다.

조하면 할수록, 그리고 연소를 방해하는 것이 더 적으면 적을
수록 불이 잘 붙습니다.

따라서 지성적 본성을 공통으로 나눠 가진 존재도 동류에
게로 향합니다. 아니, 오히려 더 강하게 향합니다. 그것은 다른
것보다 더 강한 만큼 더욱 서로 결합하고 합류할 준비가 되어
있습니다.

이성이 없는 동물도 떼로 모여 함께 일하고 새끼를 돌보
고 사랑하는 것을 봅니다. 심지어 동물들에게는 마음이 있어,
풀이나 돌, 나무에는 없는 더 강한 공동체 의식을 보여줍니다.
이성적 동물에게는 정치, 우정, 가정, 집회, 전쟁에서의 동맹과
휴전이 있습니다. 더 우월한 것들, 즉 별들은 서로 떨어져 있어
도 통일성이라는 어떤 의미를 드러냅니다. 이처럼 우월한 존
재로 올라갈수록 서로 떨어져 있어도 서로 공감하는 능력이
있습니다.

하지만 지금 발생하는 일을 보십시오. 지성이 있는 것들
만 서로를 향한 열정과 합의를 상실한 채 합류할 마음을 보이
지 않습니다. 하지만 동류로 향하는 본성이 너무 강해서 서로
를 피하려고 해도 어쩔 수 없습니다.[4] 내 말을 주의하여 들으십

---

4 본성을 거스르는 것은 어려울 뿐만 아니라 불가능하다. 세네카는 기원전 3세기로
   부터 클레안테스의 기도를 인용하면서 본성에 대한 스토아주의의 생각을 말한다.
   "운명은 의지를 안내하고 비의지를 끌어당긴다."(세네카의 『서간문』 107.11.)

시오. 사람들과 전적으로 떨어져 있는 사람을 찾기보다는 흙으로 돌아가지 않은 흙을 찾기가 더 빠를 것입니다.

10. 사람과 신, 우주는 열매를 맺되 자기의 계절에 따라 각각 열매를 맺습니다. 하지만 이런 습성이 주로 포도나무나 기타 비슷한 것들에만 있는 것은 아닙니다. 이성도 전체와 자신을 위해서 열매를 맺는데, 그 열매로부터 동종의 또 다른 이성이 생성됩니다.

11. 잘못을 저지르는 자를 가능한 한 타이르십시오. 불가능하다면 그런 경우를 위해 당신에게 관용이 주어졌다는 것을 명심하십시오. 신들께서도 그런 자들에게 관용을 베푸시며 건강과 부와 명성과 같은 몇 가지 목적을 이루려고 그들을 도와주시기까지 합니다. 당신도 그렇게 할 수 있습니다. 그렇게 할 수 없다면 그러지 못하게 막는 자가 누구인지 말해 보십시오.

12. 동정이나 관심을 받기 위해서 불쌍한 사람처럼 일하지 마십시오. 공동체적 이성이 관리하는 대로 일하고 삼가십시오.

13. 오늘 나는 온갖 곤란에서 빠져나왔습니다. 아니, 오히려 온갖 곤란을 내던졌습니다. 걱정은 외부가 아니라 나의 내부에 있기 때문입니다.

14. 만물은 경험하면 알게 되고, 시간은 하루살이의 것과 같으며, 재료는 무가치하지만, 만물은 지금이나 우리가 묻어 준 자들의 시대에나 별반 다를 바가 없습니다.

15. 사물들은 문 밖에 혼자 서 있고, 자기 자신에 관하여 알지도 못하고 진술하지도 않습니다. 그렇다면 무엇이 그것들에 관하여 진술하나요? 관리하는 이성[5]입니다.

16. 이성적이고 사회적인 동물인 인간의 선악은 수동적이지 않고 능동적입니다. 마치 자신의 미덕과 악덕이 수동이 아니라 능동 상태에 있는 것과 같습니다.

17. 위로 던진 돌이 아래로 떨어진다고 악이 아니듯, 위로 던져졌다고 선한 것도 아닙니다.

18. 인간이 지닌 관리하는 이성 안으로 들어가십시오. 그러면 어떤 심판자들에게 겁을 먹는지, 그들이 어떤 심판자들인지 알게 될 것입니다.

19. 만물은 변합니다. 당신 자신도 끊임없는 변화, 즉 어떤 소멸 속에 있습니다. 전 우주 또한 그러합니다.

20. 남의 잘못은 그 자리에 그냥 내버려 두십시오.

21. 활동의 중단, 충동과 판단의 중지는 죽음과 같은 휴식이지만 악은 아닙니다. 이제 당신의 인생, 즉 소년기, 청년기, 장년기, 노년기를 보십시오. 그 시절의 모든 변화도 죽음이었습니다. 이게 두려운 것인가요?

이제 당신 조부, 모친, 부친 아래서 보낸 삶을 살펴보고,

---

5   에픽테토스가 『담화』(1.1.5)에서 말했듯이, 황금 자체는 자신이 황금이라고 말하지 않는다. 우리의 경험을 분별하고 행위를 결정하는 것은 인간의 이성에 달려 있다.

거기서 갖가지 소멸과 변화, 정지를 발견하거든 "이게 두려운 가요?"라고 자문해 보십시오. 당신 인생 전반에 있는 중지와 휴식, 변화도 이와 같이 두려워할 것이 아닙니다.

22. 당신 자신을 관리하는 이성, 만물을 관리하는 이성, 사람을 관리하는 이성을 향해 집중하십시오. 당신 자신을 관리하는 이성을 향해 집중하는 것은 당신이 그것을 올바른 지성으로 만들기 위해서이고, 만물을 관리하는 이성을 향해 집중하는 것은 당신이 그것의 일부임을 명심하기 위해서이고, 사람을 관리하는 이성을 향해 집중하는 것은 다른 사람이 어리석은지 지혜로운지 알기 위해서이고 동시에 당신과 그의 이성이 동류인지 살피기 위해서입니다.

23. 마치 당신 자신이 사회 조직을 보충하는 한 부분이듯, 그리고 당신의 모든 행동이 조직의 생활을 보충하는 한 부분이듯이 행동하십시오. 거시적이든 미시적이든 사회의 목적을 고려하지 않는 당신의 행동은 무엇이든 간에 당신의 삶을 깨트리고, 사회와 하나 되지 못하게 합니다. 마치 총회에서 전체가 찬성하는데 혼자만 동떨어진 행동을 할 때처럼, 거기에는 반란의 성격이 깃들어 있습니다.

24. 아이들의 싸움과 주검을 짊어진 영혼과 같은 놀이, 결국 죽은 자의 형체를 표현한 것이 더 생생하게 우리의 눈에 떠오릅니다.[6]

25. 사물의 형상적 성질을 구하려거든 질료로부터 떼어내어 살피십시오. 그런 다음 각각의 형상이 오래 버틸 수 있는 시간을 얼마나 부여받았는지 보도록 하십시오.

26. 당신이 수없이 곤란을 견디어낸 것은, 당신을 관리하는 이성이, 정해진 틀대로 행함에 만족하지 않았기 때문입니다. 이것에 대해서는 이만하겠습니다.

27. 언제든 타인이 당신을 비난하거나 미워하며 감정을 드러낼 때마다 그들의 마음속으로 들어가서 그들이 어떤 자들인지 보십시오. 그들이 당신을 어떻게 생각하든 당신에게 해를 가할 수 없음을 확인할 것입니다. 그렇지만 그들은 본래 친구니까 그들에게 친절해야만 합니다. 신들께서도 꿈의 신탁을 통해 그들이 가치 있다고 생각하는 것을 구해주시기 때문입니다.[7]

28. 세상은 위에서 아래로, 세대에서 세대로 언제나 일정하게 반복됩니다. 만일 우주적 지성이 특정한 충동(발산)을 통해 모든 개별 사건을 관리한다면 당신은 그 결과를 받아들이십시오. 앞의 경우가 아니라면 우주적 지성이 단 한 번의 고유

---

6   4권 41, 에픽테토스의 말 "당신은 주검을 짊어진 작은 영혼이다." 참조.
7   이 부분은 호메로스의 『오뒷세이아』 11권을 연상케 한다. 꿈을 통한 신탁은 주로 치유 목적으로 사용되었다. 스토아주의는 모든 것이 연결되어 있다고 믿었기 때문에 신탁도 미신이 아닌 과학으로 받아들였다. 그런 이유로 로마에서는 점성술이 크게 발전하였다.

한 충동(발산)을 통해 그 나머지가 연이어 생성되거나 혹은 어떤 의미에서 원자, 즉 이제는 더 이상 쪼갤 수 없는 것들이 바뀐 것입니다. 과연 어느 쪽일까요? 신이 하셨다면 모두가 좋은 것이고, 설령 우연이라고 해도 우연의 지배를 받지는 마십시오.

곧 흙이 우리 모두를 덮을 것이지만 이후 흙도 변할 것입니다. 흙은 계속 변할 것이고, 그것도 또다시 변할 것입니다. 급격한 변화와 변형을 물결처럼 바라보는 자는 누구든지 소멸하는 온갖 것을 대수롭지 않게 볼 것입니다.

29. 우주의 존재는 급류와 같아서 함께 모든 것을 휩쓸어 갑니다. 정치인인 척 철학자인 척 행동하는 저 사람들은 얼마나 우스꽝스러운가요? 코흘리개 아이들로 가득하군요. 그렇다면 사람들이여, 도대체 무엇이란 말인가요?

이제 본성이 요구하는 바를 행하십시오. 허락되는 한 실천하고 다른 사람의 눈치는 보지 마십시오. 플라톤의 (이상)국가도 소망하지 말고[8] 국가가 조금이라도 발전하면 만족하고 그 결과를 작다고 여기지 마십시오. 사람들의 생각을 누가 바꿀 수 있을까요? 생각을 바꾸지 못하면 그들이 복종하는 척하는 동안만 굴종하면서 신음하는 것 외에 다른 무엇이 있을까요?

---

8 스토아주의에서 플라톤의 국가는 도달할 수 없는 이상에 대한 상징이 되어 있었다. 이상과 현실에 대한 분리와 함께 현실적 대안을 중히 여기는 것을 볼 수 있다.

자, 이제 알렉산드로스,[9] 필립포스,[10] 팔레론의 데메트리오스[11]에 관하여 내게 말해 주십시오. 저들이 공통적인 본성은 무엇을 원하는지 깨닫고 배웠다면 자신들이 직접 판단했을 것입니다. 하지만 저들이 연극을 한 것이라면 아무도 저들을 모방했다고 나를 정죄하지는 않을 것입니다. 철학의 일은 단순하고 겸손하니, 자신을 오만과 자만에 빠지지 말게 하십시오.

30. 위에서 내려다보십시오. 수많은 군중과 수많은 예식, 풍랑과 고요한 바다에서의 온갖 항해, 천차만별로 출생하는 자들, 함께했던 자들, 죽어간 자들을 보십시오. 그리고 생각해 보십시오. 이전에 다른 자들 아래서 살다 간 인생들, 당신 이후의 인생들, 그리고 지금 야만족과 함께하는 인생들을.

얼마나 많은 사람이 당신 이름을 알지도 못하고, 얼마나 많은 사람이 당신 이름을 잊을 것이며, 얼마나 많은 사람이 지금은 당신을 칭찬하지만 곧 비난할 것인지도 생각해 보십시오. 또 기억도 명예도 그 밖의 다른 무엇도 언급할 필요조차 없음을 생각해 보십시오.

31. 외부 요인으로 생기는 것들에 대해서는 동요하지 마십시오. 당신 내부의 원인으로 발생한 것들에 대해서는 정의

9   마케도니아의 대왕. 동방원정을 단행함으로써 헬레니즘 문화를 열게 된다.
10   알렉산드로스의 부왕.
11   아리스토텔레스의 제자로서 정치를 했다.

롭게 하십시오. 말하자면 충동과 행동은 사회적 행위를 위한 것이어야 합니다. 이것이 당신의 본성을 따르는 것입니다.

32. 당신을 괴롭히는 수많은 것들에서 벗어날 수 있는 이유는, 그것들이 당신 생각 속에서만 있기 때문입니다. 당신은 마음속에 우주 전체를 가득 품고, 영원한 시간과 각각의 사물들의 신속한 변화를 생각함으로써, 생성에서 해체까지 얼마나 짧은지, 그리고 생성 이전과 마찬가지로 해체 이후도 얼마나 무한한지를 생각하십시오.

33. 당신이 보는 만물은 신속히 멸망하리니, 그 멸망을 보는 자들도 신속히 멸망할 것입니다. 최장수의 사람도 요절한 사람과 똑같은 조건에 놓이게 될 것입니다.

34. 이들은 무엇에 지배당하고 있나요? 이들은 무엇 때문에 그렇게 바쁜가요? 왜 이들은 사랑하고 존경할까요? 당신은 이들의 벌거벗은 몰염치한 영혼을[12] 보는 데 익숙해야 합니다. 그들은 남이 비판하면 자기에게 해를 입힌다고 생각하고 칭찬하면 자기를 돕는다고 생각하니, 이 얼마나 큰 억지란 말입니까.

35. 상실은 변화와 다름없습니다. 우주의 본성은 변화에 기뻐하고, 이 본성에 따라 만물은 아름답게 생겨납니다. 영원

---

12 플라톤의 『고르기아스』(523c~d)를 보면, 죽은 사람들은 벌거벗은 영혼으로 지하 세계에 내려가서 살아 있을 때 자신들이 했던 잘못을 보게 된다.

전부터 영원까지 동일합니다. 그런데 당신은 어째서 만물은 악에서 생겼고 만물은 항상 악할 것이라고 말하고, 신들에게서는 이것을 고칠 능력을 발견할 수도 없으며 오히려 이 우주는 끊임없는 악으로 붕괴하도록 저주받았다고 하나요?

36. 모든 기본 재료는 부패하면 물과 티끌과 뼈, 악취에 불과합니다. 또한 대리석은 흙이 굳어 된 것이고, 금과 은은 가라앉혀 채취한 것이고, 의복은 털로 만든 것이고, 자줏빛은 조개의 피이고, 그 밖의 것도 이와 같습니다. 우리의 호흡도 이것에서 저것으로 변합니다.

37. 이 비참한 삶과 불평불만, 그리고 원숭이 같은 흉내 내기[13]에 진저리가 났습니다. 당신은 왜 그토록 불안해하나요? 무슨 새로운 것들이 있나요? 무엇이 당신을 동요시키나요? 원인이 있단 말인가요? 그렇다면 그 원인을 보십시오. 아니면 재료가 동요케 했나요? 그것을 보십시오. 이것 이외에는 어떤 것도 없으니 신들 앞에서 더 순수하고 더 쓸모 있는 인간이 되어야 합니다. 이것은 100년을 관찰하든 3년을 관찰하든 동일합니다.

38. 사람이 잘못하면 그 피해는 자기 자신에게로 갑니다. 하지만 그 사람이 잘못하지 않았을 수도 있습니다.

---

13   원문에 "원숭이 흉내 내기"라고 되어 있으나, 정확히 무엇을 의미하는지 알 수 없다. 아무 의미 없이 원숭이가 우스꽝스럽게 흉내 내기를 하는 것을 비판하는 것 같다.

39. 하나의 몸으로부터 생성되듯 단 하나의 지성적 원천으로부터 만물이 생성되는 것에 대해서, 그리고 전체의 이익을 위해 부분이 생성되는 것에 대해서 불평하지 마십시오. 원자들이 존재하고 그것들이 섞이고 흩어지는 것 외에는 아무것도 아닙니다. 그렇다면 당신은 왜 근심하나요? 관리하는 이성에게 말하십시오. "당신은 죽었고, 당신은 썩었어. 당신은 들짐승이고, 당신은 위선자이며, 당신은 가축 떼와 함께 풀을 뜯고 있어."라고.

40. 신들께 능력이 있을 수도 있고 없을 수도 있습니다. 그런데 만일 신들께 능력이 없다면 당신은 왜 기도하나요? 또 신들께 능력이 있다면 왜 당신은 무엇이든 없애달라거나 생기게 해달라고 기도하는 대신에 차라리 무엇이든지 두려워하지 않게 해달라거나 소망하지 않게 해달라거나, 무엇이든 슬퍼하지 않게 해달라고 신들께 기도하지 않나요?

신들께서 인간과 협력하실 수 있다면 이 목적을 위해 확실히 협력하실 것입니다. 하지만 당신은 신들이 협력하기 위해 자신에게 만물을 주었다고 말합니다. 노예처럼 결핍에 묶여 욕망에 비굴하게 휘둘리는 것보다 가진 것들을 자유롭게 활용할 수 있는 것이 더 낫습니다. 신들께서 우리 자신을, 심지어 우리 손안에 있는 것을 돕지 않는다고 누가 감히 말할 수 있을까요?

내 손안에 있는 것들을 위해 기도를 시작하십시오. 그러면 알게 될 것입니다. "어떻게 해야 저 여인과 잠자리를 가질 수 있을까?"라고 누군가가 기도한다면, 당신은 "어떻게 해야 저 여인과 잠자리하려는 욕망을 갖지 않을까?"라고 해야 할 것입니다. "어떻게 해야 저 사람과 떨어져 살 수 있을까?"라고 누군가가 기도한다면, 당신은 "어떻게 해야 저 사람과 떨어지려는 욕망을 버릴까?"라고 기도해야 할 것입니다. 또 누군가가 "어떻게 해야 내 아이를 잃지 않을까?"라고 기도하면, 당신은 "어떻게 해야 내 아이를 잃을 두려움을 떨쳐버릴까?"라고 기도해야 할 것입니다. 기도를 이렇게 바꾸고 결국 어떻게 되는지 살펴보십시오.

41. 에피쿠로스[14]가 말했습니다. "나는 아플 때 내 몸의 고통에 관해 이야기하지 않았고, 찾아온 자들과도 그런 대화는 하지 않았습니다. 비록 제 몸이 아플지라도 오히려 이미 시작한 자연학에 대한 담론을 마무리했지요. 어떻게 하면 몸에서 일어나는 움직임을 알아차리면서도 평온하게 적절한 선을 유지할 수 있을까요?" 그가 이어서 말했습니다. "의사들이 뭔가 하려고 해도 나는 그들이 맘대로 하도록 허락지 않았습니다.

---

14 Usener의 『에피쿠로스 조각글』 191에 나오는 내용이다. 이 내용은 에피쿠로스가 제자들에게 보낸 편지에 있던 것으로 추정된다. 에피쿠로스주의는 스토아주의와 많은 이론이 대립되지만 죽음을 두려워하지 않는다는 점에서 거의 일치하고 있다.

그러면서도 내 삶을 멋지고 아름답게 살았습니다."

당신도 아프거나 다른 어떤 처지에 놓여 있을 때 에피쿠로스처럼 되십시오. 어떤 형편에서도 철학을 멀리하지 마십시오. 철학과 자연에 무심한 자들의 얘기에는 사심을 보이지 않는 것이 모든 철학 학파의 원리이기 때문입니다. 오직 지금 할 일과 그 일을 위한 수단에만 전념하십시오.

42. 당신이 누군가의 뻔뻔스러움으로 인해 감정이 상할 때마다 곧바로 자문하십시오. "세상에 뻔뻔한 자들이 없다는 것이 가능할까?" 그것은 불가능합니다. 그렇다면 불가능한 것을 요구하지 마십시오. 그 사람은 세상에 반드시 있어야만 하는 뻔뻔한 자 중 하나이기 때문입니다.[15]

불량배이거나 신의가 없거나 온갖 그릇 행하는 자들에 대해서도 똑같은 생각을 당신의 버팀목으로 삼으십시오. 그럴 만하게도, 이런 사람들이 없다는 것은 불가능하다고 떠올리면, 이들 하나하나에 대해 더 관대해질 것이기 때문입니다.

자연이 이런 잘못에 대하여 사람에게 무슨 덕을 베푸는지 숙고해 보는 것도 유익할 것입니다. 즉 자연은 어리석은 자에

---

15 뻔뻔한 자를 비롯한 악의 존재는 우주가 선한 신에 의해 인도되었다고 믿었던 스토아주의자들에게 큰 문젯거리였다. 아우렐리우스는 그 문제 해결을 위해 두 가지 방법을 제시한다. 첫째, 악이란 대부분 마음속에 있고 그 마음은 바꿀 수 있다. 둘째, 부분을 보지 않고 전체를 본다면 선한 것이다. 이런 주장에 대립하여 교부철학자 아우구스티누스는 악을 '선의 결핍(privatio boni)'으로 설명한다.

게는 일종의 해독제로 온유함을 주었고,[16] 또 다른 자에게는 다른 능력을 주었습니다.

실로 방황하는 이를 타이르는 것은 당신에게 가능한 것입니다. 잘못하는 자는 과녁을 빗나가[17] 방황하는 것입니다. 그런데 당신은 어떤 해를 입었나요? 당신을 화나게 한 그 누구도 당신의 이성을 더 나빠지도록 하는 어떤 짓도 못 했다는 것을 발견할 것입니다. 당신의 불행과 피해는 전부 당신 내면에 있습니다.

못 배운 자가 못 배운 행동을 한다면 무슨 피해가 있으며 대수로운 일이겠습니까? 그런데 오히려 당신이 스스로를 책망하여 "이런 자가 이런 잘못을 할 수 있다고 예상하지 못했구나."라고는 하지 않는 것을 보십시오. 당신은 이런 자가 이런 잘못을 할 수 있다고 숙고할 수 있는 기본적인 이성을 가졌음에도 불구하고 그것을 망각한 채 그가 이런 잘못을 했다며 기이하게 여긴 것입니다.

특별히 신의가 없거나 은혜를 모른다고 누군가를 비난할 때마다 그것을 당신 자신에게 돌리십시오. 당신이 그런 자가 신의가 있을 것으로 생각하였든지, 아니면 당신이 아무 조건 없이 또는 행위 자체로 이미 모든 보상을 받았다고 여기지 않

---

16   아리스토텔레스는 『수사학』(2.3)에서 온유함의 반대를 '분노'라고 설명한다.
17   2권 9번 각주 참조.

고 호의를 베풀었든지, 분명히 당신이 잘못했습니다.

당신이 어떤 사람을 잘 대해줬다면 무엇을 더 바라겠습니까? 당신이 본성에 따라 무엇인가 행한 것만으로 만족하지 않고 그 대가를 바라고 있나요? 그것은 마치 눈이 보는 것에 대해 보상을 요구하고, 발이 걷는 것에 보상을 요구하는 것과 같습니다.

마치 눈과 발이 그 자체를 위하여 생겼고 고유한 구조에 맞게 움직여 고유성을 실현해 내듯이, 선행을 베풀도록 태어난 인간은 착한 일을 행하거나 공동체에 유익한 어떤 일을 함으로써 자기 자신에게 속한 것을 얻는 것입니다.

1. '불의'와 '불경'의 차이를
말해 보자.

2. 지금 내가 가장 걱정하고 있는 문제의
원인은 어디에 있는가?

3. 내게 잘못을 범한 사람을
어떻게 생각해야 할까?

4. 남을 비난하는 것이 결국 자기 자신을
비난하는 것인 까닭은 무엇인가?

10권 운명의 사랑

1. 오, 내 마음이여! 당신은 언제 선하고 단순하며 가식 없이 벌거벗은 마음이 되어 당신을 품고 있는 육체보다 더 두드러졌나요? 언제 당신은 사랑과 우정을 맛보았나요? 충분히 만족하며 쾌락을 즐기는 당신은 언제쯤에야 아무것도 욕구하지 않고 언제쯤에야 마음에 들건 말건 어떤 것도 갈망하지 않을까요? 쾌락을 더 많이 향유하려고 시간, 장소, 환경, 좋은 공기, 그리고 마음이 잘 통하는 사람들까지 원하고 있나요? 아니면 현재에 만족하고 지금 있는 모든 것을 즐기려 하나요?

또한 당신의 모든 것이 신에게서 온 것이며 이 모든 것이 지금도 좋지만 앞으로도 좋을 것이라고 스스로를 설득하고 그렇게 생각하나요? 그것들은 신들이 좋아하는 것으로 선하고 올바르고 아름다우며 만물을 낳고 통합하고 포괄하여 포용하는 완전한 존재가 되도록 신들이 선사하려는 것입니다. 분절하는 것은 동일한 다른 것을 창조하려는 것입니다. 당신은 한 시민으로 신들과 인간들과 함께 살면서 언제 그들을 결코 비난하지도 않고 그들에게서 멸시당하지도 않을까요?

2. 오직 본성이 왜 당신 안에서 살림살이를 해야 할 것[1]을 요구하는지를 살피십시오. 동물과 같은 본성이 당신을 더 나쁘게 하지 않는 한 그 본성이 살림살이를 하게 하고 인정하도록 하십시오. 다음으로 동물로서의 당신 본성이 무엇을 요구하는지 살피고, 이 모두는 이성적 동물로서의 당신 본성이 더 나쁘게 되지 않는 한 받아들여야만 합니다. 이성적 동물이란 사회적[정치적] 동물입니다. 이 척도를 잘 활용하여 어떤 곤란에도 빠지지 마십시오.

3. 당신에게 발생하는 모든 일은 당신이 본성상 견딜 수 있든지 없든지 할 것입니다. 본성상 견딜 수 있는 일이 발생하면 언짢아하지 말고 본성에 따라 참아야 합니다. 하지만 본성상 견딜 수 없는 일이 발생한다 해도 언짢아하지 마십시오. 본성상 견딜 수 없는 일도 당신을 파멸시킨 후에 사라질 것이기 때문입니다.

1   '오이케오(οἰκέω)'의 번역이다. '집안 살림을 하다', '가계를 꾸려나가다'의 의미로 본성이 자신을 관리함을 뜻한다.

그렇지만 자신에게 유익하거나 의무라 생각함으로써 그 것을 참을 수 있다고 판단하는 일이 당신에게 달려 있다면, 본 성상 모든 것을 견딜 수 있다는 것을 기억하십시오.

4. 누가 실패하면 친절하게 가르쳐주고 그가 무엇을 실수 했는지 보여주십시오. 그렇게 하지 못했다면 자신을 탓하십시 오. 그러나 자신조차 탓하지 않는다면 더 낫겠지요.

5. 당신에게 무슨 일이 일어나든지 그것은 영원에서부터 미리 궁리된 것이니, 영원에서부터 당신의 근원과 그 일의 생 성이 인과의 그물[2]로 얽힌 것입니다.

6. 우주가 원자이든 자연이든, 우선 나는 자연에 의해 지 배받는 전체 중 일부라는 것을 가정하십시오. 다음으로 나는 나와 같은 종류의 부분과 밀접하게 관련돼 있다는 것을 가정 하십시오.

이것들을 기억한다면, 내가 부분으로 속한 전체로부터 내 게 할당된 어떤 것에도 언짢지 않게 됩니다. 전체에 이로운 것 은 부분에 해롭지 않기 때문입니다. 전체는 자신에게 이롭지 않은 것은 어떤 것도 갖고 있지 않습니다. 전체는 모든 본성을 자신의 부분들과 공유하면서 그 밖의 어떤 외부적 원인에 의 해 강제로 자신에게 해로운 것을 만들지 않습니다.

---

2   운명을 짠 그물로 보는 것은 3.4, 3.11, 3.16, 4.26, 4.34, 5.8, 7.9, 7.57에서도 나타난다.

내가 전체 중 일부임을 명심함에 따라 나에게 일어나는 모든 일을 흡족하게 여길 것입니다. 나와 동종인 다른 부분들과 친하게 지냄에 따라 공동체에 반하는 행동은 하지 않을 것이며, 오히려 나는 공동체에 이익이 되도록 노력하고 그 반대에서는 벗어날 것입니다.

이런 원칙들이 잘 실행되면 시민의 삶은 행복합니다. 시민의 삶이란, 시민들에게 부과될 비용을 어김없이 지불하고, 시민의 삶에 유익한 일을 계속하고, 시가 부과하는 의무를 기꺼이 받아들이는 것입니다.

7. 전체 중 부분, 그러니까 우주에 본래 포함된 부분은 반드시 소멸됩니다. 이 말은 부분들이 반드시 변한다는 뜻입니다. 그런데 만약에 그 변화가 본래부터 악이고 그것이 필연이라면, 부분들이 변화하여 다양한 방식으로 소멸하는 것이 전체를 계속해서 좋은 상태로 유지해 주지 못할 것입니다. 그렇다면 자연이 스스로 자신의 부분들을 학대하고 그 악으로부터 피하지도 못하게 하며, 반드시 악에 빠지도록 공격한단 말일까요? 아니면 그렇게 된 줄도 모른다는 것일까요? 둘 다 믿기지 않습니다.

하지만 심지어 누군가가 자신은 '자연'이라는 용어를 배제하고, '능산적(能産的)'이라고 말한다고 하면서, 또한 그때조차도 전체의 부분들이 본성상 변한다고 인정하면서 동시에 부분들이 각각의 근원으로 분해되는 것에 대해 마치 그것이 자연에 역행한다는 듯이 놀라거나 꺼림직하게 생각한다고 하면 얼마나 우스운가요. 분해란 결합하여 있던 모든 요소들이 흩어지거나, 딱딱한 것은 흙으로, 기운은 공기로 변환하는 것이어서, 그 요소들이 순환으로 뜨거워지거나 무한히 바뀌며 새로워져서 우주의 이성 안으로 다시 되돌아갑니다.[3]

육체와 정신을 처음 생성된 순간에 고정된 것으로 보지 않도록 하십시오. 이것은 모두 사흘 전에 먹은 음식과 마신 공기가 들어와 변한 것이지 어미가 낳아 주었던 그대로는 아닙니다. 당신의 개별적인 자아가 이 유입과 매우 밀접하다고 생각해 보십시오. 그런데 지금 말한 것은 생각건대 이 글의 주제와는 관계가 없는 것 같군요.

8. 당신 자신을 '온유', '겸양', '진실', '분별', '공감', '품위'라고 명명하고 다른 이름은 절대 붙이지 마십시오. 그리고 이런 이름을 상실케 된다면 신속히 만회해야 합니다.

다음을 명심하십시오. '분별'이라 함은 각각의 것을 철저히 분별하는 능력을 의미하고, '공감'이라 함은 공통의 본성에

---

3   스토아주의와 에피쿠로스주의가 대조된다. 스토아주의자들은 우주가 불로 인해 주기적인 멸망에 이르면서 계속된다고 보았다. 엄밀히 보자면 각 우주는 끊임없이 변하지만 그 변화는 대화재로 종말에 이른 것이다. 하지만 에피쿠로스주의자들은 우주가 영원하지만 항상 다른 원자의 조합으로 변화하며 구성된다고 생각했다.

의해 각자에게 주어진 몫을 기꺼이 받아들임을 뜻하고, '품위'
라 함은 육체의 부드럽거나 쓰린 활동, 그리고 명예심, 죽음
등등을 넘어서서 숭고하게 생각하는 영역을 만드는 것을 뜻합
니다.

　당신이 앞의 그런 이름들 속에서 자신을 살펴 다른 사람
들에게 그런 이름으로 불리길 원하지 않는다면, 자신이 아닌
다른 사람이 되어 타인의 인생을 살아가게 될 것입니다. 심지
어 이런 인생 속에서 더럽히고 찢긴 채 지금까지와 똑같이 살
아가는 사람은, 마치 야수와 싸우다가 반쯤 뜯어 먹혀 상처와
피로 뒤덮인 채 감각을 잃어, 결국 똑같은 짐승의 이빨과 발톱
에 내던져지는 것인데도[4] 육신에만 집착하여 하루만 더 살려
달라고 구걸하는 사람과 같은 것입니다.

　그러므로 당신은 몇 개 안 되는 이 이름들을 가져다가 그
이름 곁에 남을 수 있는 한, 복된 자들의 섬에 이주한 사람처럼
머무르십시오. 하지만 언젠가 당신이 쓰러져 더 이상 몸을 마
음대로 움직일 수 없다고 느낀다면, 용기를 내어 통제할 수 있
는 구석[5]으로 물러나든지, 아니면 분노를 버리고 온전히 자유

4　아우렐리우스 당시 공공 오락의 한 형태로서 원형경기장에서 일부 범죄자들을 짐
　승과 싸우게 하여 처형시키는 것이 하나의 관행이었다. 이 싸움에서 범죄자가 살아
　남는다 하더라도 결국 사형되어야 했지만, 그들은 하루라도 더 살기 위해 경기를 하
　루 더 치룰 수 있기를 간청했다고 한다.
5　4.30에 '구석'을 참조.

로우면서도 겸손하게 생을 완전히 내려놓으십시오. 적어도 당신 삶에서 성취한 것으로 자유롭게 떠났다는 것, 이것 하나쯤은 남게 됩니다.

이 이름들을 기억하기 위해서는 신들을 기억하는 것이 큰 도움이 될 것입니다. 신들께서는 아첨을 듣기 원하지 않으시고 이성적 존재가 신들에게 동화되기를 원하고,[6] 또한 무화과나무는 무화과나무의 일을 하고 개는 개의 일을 하고 꿀벌은 꿀벌의 일을 하듯이 사람도 자신이 해야 할 일을 하기를 원합니다.

9. 이와 같은 신성한 원칙을 우리는 '홍보기,[7] 다투기, 겁내기, 힘빼기, (덮어놓고) 따르기'를 통해 매일 어길 것입니다. 본성을 따지지 않고 생각에만 그치니 얼마나 많이 어긋나는지요? 모든 것을 지켜보고 실천하되, 동시에 이론과 적용 능력을 발휘하여 일부러 드러내거나 숨기지 않아도 각 세부 지식에 대한 자신감이 일정하게 보이도록 하십시오.

당신은 언제 소박함을 즐기나요? 또 언제 정숙하게 있나요? 각자의 근원이 무엇이며 우주 안 어떤 곳에서 본래 얼마 동안 존속할 것이며 어떤 성분들과 결합되고 거기서 나온 힘은 누구에게 속하고, 누가 그 힘을 주고 빼앗을 수 있을까요?

---

6   신들에게 동화되는 삶의 목적은 플라톤의 『테아이테토스』(176b)에 묘사되어 있다.
7   원래는 로마 무대극의 일종으로 익살극에 해당한다.

10. 거미가 (영역을 침범하여) 파리 잡는 것을 자랑으로 삼듯, 어떤 이는 토끼를, 어떤 이는 그물로 물고기를, 어떤 이는 멧돼지를, 어떤 이는 곰들을, 어떤 이는 사르마테스족[8]을 잡는 것을 큰 자랑으로 삼습니다. 이들의 생각을 따져보면 사실은 다들 침입자들이 아닌가요?

11. 어떻게 만물이 서로서로 변하는지 통찰하는 방법을 익히고, 계속해서 주의 깊게 이 분야의 전문가가 되십시오. 이보다 더 도량을 넓히는 것도 없습니다. 그런 사람은 육신 차원을 넘어선 것이며,[9] 얼마나 빨리 죽음이 올지는 몰라도 삼라만상은 그대로 남는다는 것을 알기에 인간 차원을 넘어 한편으로 자신의 행위 전부를 정의에 맡기고 또 한편으로 발생한 다른 모든 일은 본래의 우주에 맡기게 됩니다.

그는 자신에 대해 누가 무슨 말을 하든지, 어떻게 이해하든지, 그리고 자신에게 어떤 행동을 하든지 전혀 마음에 두지 않습니다. 지금 자신이 하는 일을 정의롭게 실행하고, 자신에게 맡겨진 일을 좋아하는 것, 이 두 가지에만 만족하기 때문입

---

8   슬라브족의 일족으로 유목생활을 하였으며 166년~180년 동안 로마를 상대로 전쟁을 벌였다. 보통 복수형으로 사르마타이(σαρμάται)라고도 한다. 아우렐리우스가 이 부족과의 전쟁을 평화조약으로 마치자, 원로원으로부터 '사르마티쿠스'(사르마티아 정복자)라는 칭호를 얻었다.

9   매우 플라톤적인 언급이다. 플라톤에게 진리는 형상 자체를 보아야 얻을 수 있고, 비물질적인 영역에 있는 영혼으로 관조되는 것이었다.

니다. 또한 그는 온갖 오락 활동과 분주했던 영리 추구를 버리고, 법과 신을 따르는 정직한 길을 성취하는 것 외에는 다른 것을 원하지 않습니다.

12. 지금 무엇을 행해야 하는지 살필 수 있는데 어떤 일을 할지 의심할 필요가 있나요? 만일 그것이 당신에게 명백히 보이거든 뒤돌아보지 밀고 곧장 기꺼이 나아가십시오. 하지만 보이지 않거든 멈춰서 최고의 책사들에게 조언을 구하십시오. 만일 이런 것에 또 다른 장애가 있다면 현재 가진 자원을 살피며 계속 나아가되 옳다고 판단한 것을 따르십시오. 최선은 옳음에 도달하는 것이며, 실패는 옳음에서 떨어져 있는 것입니다.

범사에 이성을 따르는 자는 고요하고 활동적이며 동시에 유쾌하고 침착할 것입니다.

13. 문득 잠에서 깨어 "바르고 고운 것을 남이 비난한다고 해도 그게 내게 무슨 상관일까?"라고 자문해 보십시오. 상관이 없습니다. 남을 칭찬하거나 흠잡는 자들은 누워 있을 때나 앉아 있을 때나 똑같이 무례하다는 것을 당신은 잊었나요?

또 그들이 어떤 것들을 행하고, 피하고, 추구하는지, 그리고 어떤 것들을 훔치고 빼앗는지 보십시오. 그들은 번듯한 외양이 아니라 신뢰, 겸손, 진리, 법, 선한 신을 가장 높이 평가하고 있나요?

14. 만물을 내주었다가 다시 가져가는 자연을 향해 학식 있고 신중한 자가 말했습니다. "당신이 원하는 것을 주고 당신이 원하는 것을 가져가십시오." 하지만 그는 자연을 향해 만용을 부리지 않고 순종적으로 친절하게 말했습니다.

15. 인생이 얼마 남지 않았지만 산 위에 있는 것처럼 사십시오. 우주의 시민으로 사는 것이라면 여기든 저기든 어디든지 간에 중요하지 않습니다. 사람들로 하여금 자연에 순응하는 진실한 사람을 보게 하십시오. 그 사람들이 그런 삶을 견디지 못한다면 당신을 죽이도록 하십시오. 그들처럼 사느니 죽는 것이 더 낫기 때문입니다.

16. 이제는 선한 사람이 누구인지 생각만 하지 말고 그런 사람이 되십시오.

17. 모든 시간과 모든 만물을 생각하십시오. 모든 부분을 만물과 비교하면 무화과 씨와 같고 또한 모든 부분을 시간과 비교하면 송곳을 한 번 돌리는 것과 같습니다.

18. 존재하는 모든 것을 보십시오. 그리고 그것이 이미 해체되고 변하고 있는 것을 관찰하십시오. 즉 썩거나 흩어지고 있습니다. 본래 모든 것은 죽기 위해서 구성됩니다.

19. 사람들이 먹고 자고 동침하고 배설하고 그 밖의 행동을 할 때 어떤 자들이 되나요? 또 그들이 권위적이고 오만하고 화를 내고 권좌에서 야단칠 때 어떤 자들이 되나요? 그들은 조

금 전만 해도 얼마나 많은 자에게 얼마나 많은 일로 맹종했던가요? 조금 후에 그들이 어떤 처지에 있을지 생각해 보십시오.

20. 우주의 본성이 각자에게 준 것은 각자에게 이로운 순간에 이롭습니다.

21. "땅이 비를 좋아하고 존엄한 대기도 비를 좋아합니다."[10] 우주도 일어날 일을 좋아합니다. 그래서 나는 우주에 "나도 당신이 좋아하는 것을 좋아합니다."라고 말했습니다. "이것은 생성을 좋아하노라."라는 의미가 아닐까요?

22. 여기에서 사는 것에 이미 익숙해졌든, 밖으로 떠나든, 죽어가면서 자신의 일을 마치든, 그것은 당신이 원해서 하는 것입니다. 그 외에는 아무것도 없습니다. 그러니 기운을 내십시오.

23. 항상 명심하십시오. 이 촌락이나 저기의 산정이나 해변 또는 당신이 가고 싶은 곳에 있는 모든 것이 다 똑같습니다. 당신은 플라톤의 말, "산에 양우리를 두르듯 성벽을 두르고 양 떼의 젖을 짜노라."[11]에서 그 핵심을 보게 될 것입니다.

---

10   에우리피데스의 단편(斷片, 890 Nauk)에 있다고 추측된다. 또한 아리스토텔레스의 『니코마코스 윤리학』(1155b2-4)에도 의역되어 있다. "에우리피데스는 땅이 메마를 때 비를 좋아하고, 숭고한 하늘은 비가 가득할 때 땅에 떨어지는 것을 좋아한다고 말한다."

11   플라톤의 『테아이테토스』(174d-e)에서. 원본이 손상되어 의미가 정확하지 않다. 항목과의 관련성이 의심스럽다. 철학자와 사람들 사이의 대조가 있다.

24. 나를 관리하는 이성은 내게 무엇이며, 그 이성을 나는 지금 어떤 종류로 만들어내며, 도대체 무엇을 위해 그것을 활용하나요? 그것은 지성이 부족할까요? 그것은 공동체에서 흩어져 떨어졌나요? 그것은 한낱 육신에 들러붙고 결합되어 육신의 길로 접어들었나요?

25. 주인을 피하는 자는 도망자입니다. 법이 주인이니 법을 위반한 자도 도망자입니다. 슬픔, 분노, 화가 있는 자는 만물의 주관자가 작정한 대로 과거, 현재, 미래에 어떤 것도 일어나지 않기를 바랍니다. 하지만 만물의 주관자가 각자에게 적합한 일을 할당하는 것이 법이니 슬픔, 분노, 화가 있는 자는 도망자입니다.

26. 남자가 자궁에 씨 뿌리고 떠납니다. 그러면 자궁으로 들어온 것을 다른 요소가 받아 일하여서 태아가 완성됩니다. 물질에서 생기는 이런 탄생은 얼마나 놀라운지요! 다시 아이의 목구멍을 통해 내려온 음식을 다른 요소가 받아 감각과 충동을, 그리고 생명과 힘과 또 다른 대단한 것들을 만듭니다. 은밀하게 생겨나는 이런 것을 잘 관찰하십시오. 사물들을 하강시키고 상승시키는 힘[12]을 눈으로는 못 보지만, 보이는 것처럼 보십시오.

---

12   그리스 자연론자들에 따르면, 상승은 생성의 원리이고 하강은 소멸의 원리다.

27. 지금 일어나고 있는 것과 같은 일들이 과거에 똑같이 일어났음을 명심하십시오. 그리고 미래에도 일어날 것임을 명심하십시오. 당신이 체험과 역사를 통해 아는 것과 똑같이 모든 연극과 무대들을, 즉 하드리아누스, 안토니누스, 필립포스, 알렉산드로스, 크로이소스의 궁전 전체를 당신 눈앞에 떠올리십시오. 모든 인생 연극은 우리가 보는 연극과 똑같은데 배역만 다릅니다.

28. 슬퍼하거나 괴로워하는 자는 누구든지 마치 제물로 바쳐져 바둥대고 괴성을 지르는 돼지와 같다고 여기십시오.

침상에서 말없이 홀로 매어 있는 운명이라고 한탄하는 자도 마찬가지입니다. 일어난 일을 자발적으로 따르는 것은 이성적 동물에게만 주어진 반면, 무조건 따르는 것은 천하 만물에 부여된 필연입니다.

29. 행동하는 순간마다 멈춰 서서 당신에게 물어보십시오. "죽음이 당신에게서 이것을 빼앗아 가기에 죽음이 두려운가요?"

30. 누군가의 잘못에 화가 나거든 당장 자신에게로 물러서서 당신의 어떤 허물과 비슷한지를 살펴보십시오. 예컨대부귀, 쾌락, 명예 등등이 좋다고 생각했다면 잘못입니다. 하지만 그가 어쩔 수 없이 그랬다는 것을 참작한다면 분노는 곧 사라질 것입니다. 그가 달리 무엇을 할 수 있었을까요? 오히려

가능하다면 그에게 일어나는 강압을 없애십시오.

31. 사튀론을 보면 흡사 소크라테스나 에우튀게스나 휘멘을 떠올리고, 에우프라테스[13]를 보면 에우튀기온이나 실바누스를 떠올리며, 알키프론을 보면 트로파이오포로스를 떠올리고, 세베루스[14]를 보면 크리톤[15]이나 크세노폰[16]을 떠올려 보십시오. 자신을 성찰할 때는 황제들 중 한 분을 떠올리며, 어떤 경우든 적당한 분을 떠올려 보십시오. "그들은 어디에 있나요?" 어디에도 없거나 아무도 있는 곳을 모릅니다.

그러면 당신은 계속 인간사를 안개나 없음으로 볼 것입니다. 특히 인간사가 단숨에 변하여 더 이상 무한한 시간 속에 없다는 것을 떠올릴 경우 그렇습니다. 그런데 당신은 왜 괴로워하나요? 당신은 인간사가 질서 정연하게 짧은 시간에 지나가는 것을 어찌 만족하지 못하나요?

당신은 어떤 문제와 기회를 회피하고 있나요? 이 모두가 인생 속에 있으니, 인생이란 본성을 따져 문제와 기회를 정확하게 발견하는 이성의 수련장이 아니면 무엇일까요? 당신이 그것들을 흡수하기까지 기다리십시오. 마치 튼튼한 위장이 모

---

13 하드리아누스 황제가 총애하던 철학자로 알려졌다.
14 아우렐리우스의 의형제.
15 소크라테스의 제자.
16 소크라테스의 제자.

든 것을 흡수하고, 타오르는 불이 당신이 집어넣은 모든 것을 불꽃과 불빛으로 만드는 것과도 같습니다.

32. 진정 누구도 당신에 대해 소박하지도 선하지도 않다고 말하지 못하게 하십시오. 오히려 그렇게 말하는 자가 거짓말쟁이가 되도록 하십시오. 이 모든 것은 당신에게 달린 것이니 당신이 소박하고 선해시는 것을 누가 막겠습니까? 그렇지 않은 자가 될 바에야 차라리 살지 않겠노라고 당신이 결정하십시오. 이성도 당신이 소박하고 선하게 살지 않는다면 당신의 삶을 허락하지 않을 것이기 때문입니다.

33. 주어진 물질적 환경에서 가장 건전한 효과를 내기 위해서는 무엇을 이야기할 수 있으며 또 무엇을 할 수 있나요? 그것이 무엇이든지, 그것을 만들거나 말하는 것은 당신 자신에게 달려 있습니다. 그러니 방해받는다는 변명은 하지 마십시오.

쾌락을 즐기는 자들이 환락에 빠지는 것과 당신이 주어진 재료를 이용해 인간의 소양에 적합하게 행동하는 것이 동일한 일이라는 것을 알기 전까지, 당신의 탄식은 그치지 않을 것입니다. 그래서 쾌락이란 반드시 각자의 본성에 따라 행할 수 있는 모든 것이라고 이해되어야 할 것입니다. 그것은 어디서나 가능합니다.

원통이 굴러가는 것은 어느 곳에서나 가능한 것이 아닙니다. 물에도 불에도, 기타 자연이나 비이성적인 영혼의 지배를 받는 곳에서는 가능하지 않은데, 원통을 저지하거나 방해하는 것이 많기 때문입니다.

하지만 지성과 이성은 본성에 의해 만들어지고 자신들이 선택하는 방식으로 온갖 장애를 뚫고 갈 수 있습니다. 마치 불이 위로 가고 돌이 아래로 가듯, 그리고 원통이 굴러가듯 이성이 만물을 뚫고 자유롭게 지나가는 것만을 눈앞에 떠올리고 아무것도 바라지 마십시오.

왜냐하면 나머지 방해물은 고작 육체, 곧 시체에만 영향을 끼칠 뿐이기 때문입니다. 또는 억측이 없고 이성 자체가 사라지지 않는다면 그것들이 이성을 부수거나 어떤 해를 끼칠 수 없습니다. 그렇지 않으면 해를 당하는 자신이 곧 나빠지기 때문입니다.

어떤 체계를 갖는 다른 것들은 재앙이 생기면 그것을 겪는 것 자체로 더 나빠지지만, 사람은 거기서 발생한 일을 옳게 활용한다면 더 강해지고 더 경탄받게 된다고 말해야만 합니다.

대개는 국가를 해치지 않는 자가 당연히 시민도 해치지 않으며, 법을 해치지 않는 자가 국가도 해치지 않는다는 것을 기억하십시오. 재앙이라고 불리는 것 중 어떤 것도 법에 해를 끼치지 못하고 국가나 시민에게도 해를 끼치지 못합니다.

34. 참된 원리에 충실한 자[17]는 늘 보던 아주 짧은 문구로도 고통을 충분히 잊고, 담대하게 깨어나니, 다음의 경구가 그

렇습니다. "나뭇잎들, 바람 부니 땅에 흩날린다. 인간 종족도 이와 같아라."[18]

당신 자식들도 나뭇잎들입니다. 마치 신뢰할 만하고 큰 소리로 손뼉 치며 찬성하거나, 반대로 저주하거나 몰래 비난하고 조롱하는 자들도 나뭇잎들입니다. 후대에 인간의 명성을 전달하는 자들도 마찬가지입니다. 왜냐하면 이런 모든 것들은 "봄의 계절에 돋아나기 때문입니다."[19]

그 후 바람이 나뭇잎들을 떨어뜨리면 이윽고 나무는 떨어진 나뭇잎들 대신 다른 잎사귀들이 자라게 합니다. 세월이 짧은 것은 만물에 공통입니다. 그런데도 당신은 만물이 영원할 것처럼 피하고 좇습니다. 잠시 후 당신은 눈을 감을 것이요, 당신을 장사 지낸 사람을 위해 또 다른 사람이 곡을 할 것입니다.

35. 건강한 눈은 온갖 것을 다 보아야지 초록색만을 보기 원한다고 말하지 않습니다. 그건 눈병에 걸린 상태입니다. 좋은 청각과 좋은 후각은 들리거나 냄새를 맡을 수 있는 것 전부를 향해 준비되어야만 합니다. 건강한 위장은, 방아가 찧을 수 있는 것은 무엇이든지 찧을 준비를 하듯, 온갖 양분에 대해서 준비하고 있어야만 합니다.

---

17   이 은유는 플라톤의 『향연』 217e-218a에 있다.
18   호메로스, 『일리아스』, 6권 147-149.
19   호메로스, 『일리아스』, 6권 146.

건전한 지성은 일어나는 모든 일에 반드시 준비하고 있어야 합니다. "내 자식들을 보호하소서, 내가 무엇을 하든 사람들이 칭찬하게 하소서."라고 지성이 말하는 것은, 눈이 초록색을 찾고 치아가 물렁물렁한 것만 찾는 것과 같습니다.

36. 사람이 죽어갈 때 주변에서 기뻐하지 않는다면 그는 행복한 사람임에 틀림없습니다. 하지만 그가 뛰어나고 지혜로운 자였을지라도 누군가 속으로 말할 것입니다. "마침내 이 스승에게서 풀려나 곧 우리가 자유롭게 숨 쉴 수 있겠구나. 그는 우리 누구에게도 강압적으로 대하지 않았지만 그가 우리를 은근히 비판하고 있다고 느꼈지." 이것은 뛰어난 사람에게 해당하는 말입니다. 우리 경우에는 얼마나 많은 사람들이 얼마나 다양한 이유로 우리에게서 자유로워지려 할까요.

당신은 죽어가면서 이런 생각을 할 것이지만 더 만족스럽게 세상을 떠나려면 다음을 고려하십시오. 즉 내가 그토록 노력하고 기도하고 신경 썼던 바로 그 동료들조차 내가 떠나면 좀 더 편안해지길 바라면서 내가 떠나기를 원하고 있습니다. 그런 인생을 내가 떠나고 있는데, 무엇 때문에 여기에 더 오래 머무르려고 애쓴단 말인가요?

그렇다고 하여 그들에게 호의를 보이지 않은 채 떠나지는 마십시오. 당신 자신의 고유한 성품인 우정과 친절, 자비를 유지하도록 하십시오. 다시 찢어지듯이 떠나지 말고 마치 조용히 죽음을 맞이하며 영혼이 육신에 만족하고 빠져나가는 것과 동일한 방식으로 당신도 그들을 떠나야만 합니다.

자연이 당신과 그들을 맺어주고 연결했지만 이제 그 인연을 푸는 것입니다. 가족들을 떠나듯 붙잡지도 않고 어떤 강제도 없이 헤어지니, 헤어지는 것도 자연에 순응하는 것 중 하나이기 때문입니다.

37. 남들이 행하는 모든 일에 대해 가능한 한 이렇게 자문하십시오. "이 사람은 무엇 때문에 이 일을 하고 있을까?"[20] 하지만 이 질문은 당신 자신에서부터 시작하고 우선 당신 자신부터 검토하도록 하십시오.

38. 기억하십시오. 당신을 움직이는 줄[21]이 내면에 숨어 있다는 것을. 그것이 연설의 힘이고 생명이며, 이렇게 말할 수 있다면 그것이 인간입니다. 자신을 성찰할 때 당신을 담는 그릇과 거기에 형성된 장기를 함께 떠올리지 마십시오. 그것은 목수의 연장과 같은데 한 가지 차이점은 인간의 장기는 성숙한 이후 몸이 된다는 것입니다. 이 부분들을 돌리고 멈추게 하는 요인이 없다면 공장의 북이나 작가의 연필이나 마부의 채찍보다 더 이롭지는 못합니다.

---

20   스토아주의에서 외부 세계의 행동은 그 자체로는 '무관한 것'의 문제였고, 그 행동의 의도가 쟁점이었다.
21   꼭두각시 인형에 연결된 줄을 말한다.

명상 포인트

1. 온유, 겸양, 진실, 분별, 공감, 품위 중에
내게 해당되는 이름이 있는가?

2. 화를 다스리고
슬퍼하지 않는 법이 있는가?

3. 죽음의 순간을
어떻게 맞이해야 할까?

11권 '무관함'에 대한 관찰

1. 마음의 이성적 속성은 자신을 살피고 분석하여 자신을 원하는 대로 만듭니다. 마음은 자신이 맺은 열매를 직접 거두니 이성적인 마음은 생명의 한계가 어디에 있든 자기의 고유한 목표에 도달합니다. 여기서 열매란 식물이든 동물이든 그 결실에 해당하는 것을 제삼자가 수확한다는 말입니다.

　무용이나 연극, 그와 유사한 것이 중단되면 공연은 끝맺지 못합니다. 반면 이성적인 마음은 각각의 어느 부분에서 멈추든 결국 자기 앞에 놓인 것을 완전하고 흡족하게 끝맺기 때문에 "나는 내 몫을 다했다."라고 말하게 됩니다.

　더 나아가 이성적인 마음은 전 우주와 그 주위의 허공을 돌아다니며, 우주의 형태를 살피고 시간의 무한으로까지 펼쳐

지며 모든 것의 주기적 회복을 포착하고 이해합니다. 우리 이후의 사람들은 새로운 것을 못 볼 것이며, 우리 이전의 사람들은 더 많은 것을 보지 못했습니다. 그렇지만 마흔 살 된 자가 조금이라도 지성을 지닌다면 어떤 의미에서는 동일한 원형 덕택에 모든 것이 생성되었고 앞으로도 생성되리라는 것을 볼 것입니다.

마음의 또 다른 이성적 속성은 이웃 사랑과 진실, 그리고 겸손이며, 어떤 것도 자신보다 더 높이 평가하지는 않는데 이것은 법의 속성이기도 합니다. 그래서 올바른 이성과 정의의 이성 간에는 어떤 차이도 없는 것입니다.

2. 당신이 선율을 각 음조로 나누고 나를 압도하는 것이 각 음조와 관련이 있는지 자문한다면, 부끄러워서 이 사실을 고백하지 못할 것입니다. 당신은 기쁨을 선사하는 노래와 춤, 팡크라티온[1]도 경멸할 것입니다. 왜냐하면 춤에 대해서도 동작이나 자세 하나하나로 나누어 헤아리면 그렇게 될 것이며, 팡크라티온에 대해서도 마찬가지일 것입니다.

덕과 그 덕에서 나온 행위들보다는 그것들의 각 부분에 집착하여 쪼개어 보면 그 각각은 가치가 없다는 것을 모든 것에 대해 기억하십시오. 이 원리를 당신의 인생 전반에도 적용

---

1   고대 그리스에서 유래된 운동으로 레슬링과 복싱이 결합된 종합 격투기.

하십시오.

3. 얼마나 대단한가요. 이미 준비되어 있는 생명이, 필요하다면 즉시 몸에서 빠져나와 사라지든지 흩어지든지 또는 머물든지 한다는 것이. 그렇지만 이런 준비는 자기 판단에서 나와야지 광신자들처럼 맹목적으로 군중의 행렬을 따라서는 안 됩니다. 다른 사람을 설득하려면 분별력을 갖추고 신중하되 극적이지 않아야 합니다.

4. 내가 공익을 위해 뭔가를 행하였나요? 그러면 내가 이롭게 되었으니 이것을 명심하고 멈추지 마십시오.

5. 당신의 기술은 무엇인가요? 선하게 되는 것. 하지만 한편으로 우주의 본성을 바라보지 않고, 다른 한편으로 인간 고유의 소질을 바라보지 않고 어떻게 기술이 뛰어나게 될까요?

6. 처음에 비극은 사람들에게 일어난 사건들을 기억시키는 수단으로 무대에 공연되었습니다. 사건들은 본래 이렇게 일어날 수밖에 없었고, 당신이 무대 위에서 상연되는 것을 보고 아주 즐거워했다면, 더 큰 무대에서 발생한 일에 대해서 괴로워하면 안 됩니다.

이 사건들은 반드시 이렇게 끝나고, 심지어 "오, 키타이론이여!"[2]라고 울부짖던 자도 그런 사건들을 참는 것을 보기 때

---

2   키타이론은 오이디푸스가 태어나자마자 버려진 산이다. 하지만 오이디푸스는 목자의 손을 통해 생명을 보전한 후 성장해 결국 예언대로 친아버지를 죽이고 테베의

문입니다. 드라마 작가들은 유익한 말을 했는데 다음의 말이 특별히 그렇습니다.[3] "나와 내 아들들이 신들의 돌봄을 받지 못한다면, 그것에는 그럴 만한 이유가 있습니다." "일어난 일에 대해서는 화를 내서는 안 됩니다." "인생은 익은 곡식처럼 수확하는 것입니다."

그 밖에도 많이 있습니다. 비극 이후에 고대 희극이 유행하였는데, 거기에서 교육적 가치를 위해 표현의 자유를 사용하였고, 직설적인 말을 통해 인간들에게 방탕함을 상기시켰습니다. 디오게네스[4]도 이런 희극적 표현들을 그런 목적으로 받아들였습니다.

고대 희극 이후에 중기 희극이, 그 이후에 신희극이 소개되었는데, 어떤 목적 때문에 받아들여졌는지 보십시오. 그것은 점차 단순히 모방하는 기교로 쇠퇴하게 되었습니다. 모든 사람들이 알고 있듯이 심지어 이 작가들도 꽤 유용한 말을 했다는 점을 생각하십시오. 그런데 이런 시 작품들과 온갖 희극과 비극은 무엇을 추구하려 했을까요?

7. 지금 당신이 처한 상황만큼 철학하기에 적합한 기회는

왕이 되었고 친어머니를 아내로 맞이한다. 자신이 키타이론 산에서 죽지 않고 구원받았기 때문에 이런 비극이 벌어졌다 생각한 오이디푸스는 이 산을 부르며 애통해한다.

3   모두 에우리피데스의 말로 전해진다. 여기 인용은 7.38~41에서도 있었다.

4   키니코스 학파의 디오게네스.

다른 인생에는 없다는 점이 얼마나 분명한가요!

8. 나무에 붙은 가지에서 잘려나간 가지는 나무 전체에서도 잘려나간 것에 틀림없습니다. 마찬가지로 한 사람이 다른 사람에게서 떨어져 나가면 사회 전체에서도 떨어지는 것입니다. 그런데 가지는 다른 사람이 자르지만, 사람은 이웃을 미워하고 등 돌리면서 스스로 이웃과 살라집니다. 그것이 자신을 사회와 분리시킨다는 것을 알지 못합니다. 그럼에도 사회를 만든 제우스께서 주신 선물이 있으니, 그건 우리가 반드시 이웃과 함께 성장해야 하며 그렇게 하면 다시 전체를 완성하는 부분이 될 수 있다는 것입니다.

그렇지만 이런 나누어짐이 자주 발생하면 갈라진 부분은 나머지 부분과 결합하여 이전 상태로 회복하기가 어려워집니다. 처음부터 움터서 함께 호흡하며 함께 자란 가지는, 정원사가 무슨 말을 하든지, 갈라진 이후 다시 접붙여진 가지와는 전혀 다릅니다. 같이 자라나지만 같은 마음이 아닙니다.

9. 당신이 올바른 이성을 따라 나아갈 때 이를 가로막는 자들이라 할지라도 바른 행동을 하는 당신을 엇나가게 할 수 없듯이, 당신이 그들에게 베푼 호의를 그들이 빼앗아가지 못하게 하십시오. 하지만 다음 두 가지에 힘쓰십시오. 당신의 판단과 행동을 한결같이 지키고, 당신을 방해하거나 어떤 식으로든 당신을 못 참게 만드는 자들에게도 관대하게 대하는 것

입니다.

그들에게 화를 내는 것, 내 행동을 멈추고 압박에 굴복하는 것은 연약한 것입니다. 왜냐하면 두려움 속에서 일을 하는 자와 본성적으로 친족이나 친구에게 기를 펴지 못하는 자, 둘 다 똑같이 자기가 속한 병영에서 탈영한 자입니다.

10. 자연은 기예보다 못하지 않습니다. 기예는 사물의 자연을 모방하기 때문입니다. 이것이 맞다면 모든 자연 중에 가장 완벽하고 가장 포괄적인 자연은 기예의 창작 솜씨보다 못할 수가 없습니다. 모든 기예는 더 높은 것을 위해서 더 낮은 것을 만들어내듯[5] 우주의 본성도 그러합니다.

진실로 거기에 정의의 기원이 있습니다. 정의에서 다른 덕들이 생깁니다. 만약에 우리가 선하지도 악하지도 않은 중간에 관심이 있거나 쉽게 속거나 속단하거나 변덕을 부리면, 정의는 지켜질 수 없습니다.

11. 당신이 야단법석을 떨며 추구하거나 피하는 대상은 당신에게 다가온 것이 아니라, 어떤 의미에서는 당신 자신이 그것들에 다가가는 것입니다. 그러니 그것들에 대한 판단을 멈추십시오. 그러면 그것들은 움직이지 않고 멈출 것입니다. 당신이 추구하거나 피하는 것도 보이지 않을 것입니다.

---

5   예를 들어 구두장인은 인간이라는 존재를 위해서 인간보다 낮은 구두를 만든다.

12. 공 모양의 마음이 자신의 형상을 유지할 때는 뭔가를 향해 뻗어 나가지도 않고 안으로 쭈그러들지도 않고, 발산되지도 않고 가라앉지도 않고, 오히려 불빛으로 밝아져 그 불빛으로 만물의 진리와 자신 안의 진리를 볼 때입니다.

13. 누가 나를 멸시하나요? 그건 그 사람이나 신경 쓸 일입니다. 내가 신경 쓸 일은, 뭔가 멸시받을 만한 말과 행동이 생기지 않도록 하는 것입니다. 누가 나를 미워하나요? 그 사람이나 신경 쓸 일이지요. 내가 해야 할 일은, 모든 자에게 친절과 호의로 대하고, 특히 나를 미워하는 자에게는 기꺼이 비판하되 책망하거나 내가 참고 있음을 드러내지 않고, 포키온이 위선을 부린 게 아니라면 유효하고 유용한 조언을 해주는 것입니다.[6]

인간의 내면은 이렇게 되도록 노력해야 하는데, 왜냐하면 사람이 어떤 것에도 역정 내지 않고 불평하지 않는 것을 신들께 보여야만 하기 때문입니다. 지금 당신의 본성에 어울리는 것을 스스로 행하고, 지금 시기적으로 우주의 본성에 맞는 것을 받아들인다면 어떻게든 사회의 이익을 위해 노력하는 당신에게 무엇이 나쁘겠습니까?

6　기원전 318년 아테네에 있었던 재판에서 포키온이 처형된다. 이 처형은 소크라테스의 재판에 비유되는데 그의 유명한 말 중에는 "아테네인들에게 원한을 품지 말라고 말하라."가 있다.

14. 그들은 서로 업신여기면서도 서로 아첨하고 서로 뛰어나기를 원하면서도 서로 굽실댑니다.

15. "나는 당신을 순수한 마음으로 대하고 싶어."라고 말하는 자는 얼마나 부패했으며 얼마나 더러운지요. 이 보시오, 당신은 무엇을 하려는 것인가요? 이런 것은 자신이 먼저 말하여서는 안 되고, 저절로 드러나면서 당신의 미간에 자연스럽게 써 있어야 하는 것입니다.

이런 것은 곧장 목소리와 눈빛에도 나타납니다. 마치 연인이 연인의 눈빛에서 모든 것을 바로 알아차리는 것과 같습니다. 고약한 냄새가 나는 자가 그런 것처럼 오로지 순수하고 선한 자는 그 곁에 다가가기만 해도 원하든 원하지 않든 사람들이 당장에 알아봅니다.

순수를 계산해 넣는 것은 단검과도 같습니다. 특별한 척하는 늑대의 우정보다 더 부끄러운 것은 없으니 무엇보다 이런 우정을 피하십시오. 진정 선하고 순수하고 친절한 사람은 이를 자신의 눈에 지니고 있어서 감출 수 없습니다.

16. 누구든지 무관한 것[7]에 무관심할 경우에 가장 좋은 삶

---

7   건강과 머리숱처럼 선악과 아무런 관련이 없는 것을 아우렐리우스는 스토아주의를 따라 '무관한 것(아디아포론, ἀδιάφορον, indifferens)'이라 했다.
    철학 훈련을 통해 무관함을 관찰하면 여기서 한걸음 더 나아가 무관한 것들을 또다시 분류할 수 있다. 자연에 순응적인 것과 그렇지 않은 것인데, 예를 들어 건강은 자연에 순응적인 것이고 머리숱은 자연에 순응하는 것과 전혀 상관이 없다. 이런 방식

을 살 수 있는 힘을 간직합니다. 무관심은 무관한 것 각각을 나누어 보든지 전체로 보든지 개의치 않습니다. 무관심은 무관한 것을 이해하려고 신경 쓰지도 않습니다. 우리가 판단하고 기억하는 것들 중에 우리에게 다가오지도 않고 아예 멈춰 있는 것이 있습니다. 우리 마음에 새길 필요가 없고 기억하지 않는다면 당장에 잊히는 것들입니다.

무관한 것에 대한 주의 집중은 잠깐이고 남은 인생은 곧 끝난다는 것을 명심하십시오. 그런데도 왜 불만을 갖고 있나요? 만일 자연에 순응한다면 무관한 것들을 즐기면서 편안할 것입니다.[8]

자연에서 벗어났다면 당신의 본성을 따르는 것이 무엇인지 찾아보십시오. 명성을 주는 것은 아니라고 하더라도 이것을 추구하십시오. 자신에게 알맞은 선을 찾는 것이 모든 사람에게 허락되었기 때문입니다.

17. 각각은 어디서 왔고, 각각은 어떤 성분들로 구성되어 있고, 무엇으로 변하고, 변한다면 어떤 상태가 되나요? 하지만 변하였다고 해도 아무런 해를 입지 않습니다.

으로 선악에 대한 무관함을 관찰하여 거기에 감정을 두지 않은 마음의 상태가 평온함이다.

8   스토아주의는 무관한 것을 판단하여 자연에 순응하는 것, 위 각주의 예에서 건강을 즐기는 것은 선호할 일이었다.

18. 첫째, 사람들을 향한 나의 자세는 어떠한가요? 우리는 서로를 위해서 태어났습니다. 다른 식으로 말한다면 마치 숫양이 양 떼를 이끌거나 황소가 소 떼를 이끄는 것과 같이 서로를 인도하기 위해 태어났습니다.

사안을 검토할 때는 첫 원리에서 출발하십시오. 만약 모든 것들이 단순히 원자[9]인 것이 아니라면 만물을 주관하는 것은 본성입니다. 그렇다면 열등한 것은 우월한 것을 위해 존재하고, 우월한 것은 서로를 위해 존재합니다.

둘째, 식탁이나 침상, 기타 다른 곳에 있는 자들은 어떤 종류의 인간인가요? 특히 그들이 자신들의 원칙에 어떤 강제를 당하고 얼마나 큰 오만으로 이 원칙을 지키나요?

셋째, 그들이 한 일이 올바른 것이라면 기분이 상해서는 안 됩니다. 올바르지 않다면 분명 그들은 억지로 한 것이거나 몰라서 한 것입니다. 모든 마음이 원치 않게 진리를 잃듯이 각자에게 걸맞은 대우도 원치 않게 잃기 때문입니다. 그래서 불의하고 무정하고 탐욕스럽다는 말과 함께, 이웃에 대해 잘못하는 자라는 말을 들으면 몹시 화가 나는 것입니다.

넷째, 당신도 많은 잘못을 범하고 있으며 당신도 그들과 동일한 사람입니다. 하지만 만일 당신이 어떤 잘못을 범하지

---

9 에피쿠로스주의의 원자론을 말한다. 에피쿠로스주의는 첫 원리(근본)를 원자로 보았고 스토아주의는 본성으로 보았다.

않는다 해도, 그리고 당신이 비겁함이나 명예욕, 기타 어떤 다른 동기에서 잘못을 범하지 않는다고 해도, 당신에게는 그들과 동일한 우를 범할 기질이 있습니다.

다섯째, 사람들이 잘못을 범하는지 당신도 확신할 수 없습니다. 많은 일들이 상황에 따라 생깁니다. 간단히 말해서, 누구든지 남의 행동에 대해서 뭔가를 분명하게 파악하기 위해서는 먼저 많은 것을 알아야만 합니다.

여섯째, 몹시 성이 나거나 도저히 참을 수 없으면, 인생은 찰나이며 잠시 후면 당신도 드러눕게 된다는 것을 생각하십시오.

일곱째, 사람들의 행동이 우리를 성가시게 하는 것이 아닙니다. 그들의 행동은 그들을 안내하는 이성 안에 있습니다. 우리 안에 있는 생각이 우리를 성가시게 합니다. 그러므로 사람들의 행동이 끔찍하다는 판단을 기꺼이 버려야만 합니다. 그러면 분노는 사라질 것입니다.

당신은 분노를 어떻게 버리겠습니까? 어떤 모욕도 당신에게 부끄러운 일이 아니라고 생각해 보시지요. 만일 모욕을 부끄러운 일로 여기지 않는다면 당신은 필시 많은 잘못을 범하여 강도나 그런 부류의 사람이 될 것입니다.

여덟째, 우리를 화나게 하고 슬프게 하는 그들의 행동보다는 그런 행동에 대한 우리의 분노와 슬픔이 얼마나 더 우리를 괴롭히는지 생각하십시오.

아홉째, 당신의 친절이 가식이나 위선이 아니고 진심이라면 그것은 빼앗기지 않습니다. 무례한 자가 당신에게 무엇을 할 수 있을까요? 그에게 친절을 베풀고 참아내고 기회가 되는 대로 부드럽게 타이르면서 그 사람이 당신에게 악행을 저지르려는 순간, "젊은이, 그러지 마십시오. 우리는 이 일보다는 다른 일을 하기 위해 태어났습니다. 나는 피해를 입지 않고 오히려 당신만 다칠 것입니다."라고 여유를 가지고 가르쳐주십시오. 그리고 부드럽지만 확고하게 꿀벌들이나 본능적으로 떼 지어 사는 수많은 것들도 그렇게 행동하지 않는다는 것을 알려주십시오.

당신은 그를 무시하거나 책망하듯 하지 말고 애정 어린 마음으로 평온한 상태에서 말하되, 그를 함부로 대하거나 주위에 다른 사람들이 있더라도 그들의 감탄을 받으려 하지 말고 오직 그에게만 집중하십시오.

이 아홉 가지 골자를 무사 여신들[10]이 준 선물인 듯 명심하십시오. 사는 동안 사람답게 살도록 하십시오. 또한 다음을 조심하십시오. 사람들에게 분노하지도 아첨하지도 마십시오. 이 두 가지는 동일합니다. 이 두 가지는 비사회적이며 모두에게

10 　그리스 신화에 등장하는 음악과 시를 관장하는 아홉 명의 여신이다.

해를 끼칠 수 있습니다.

화가 날 때는 부드럽고 유순한 태도를 취하는 것이 대장부다운 것입니다. 이것이 더 인간적이고 어른다운 것입니다. 이런 성품이 힘과 근육과 용기를 갖춘 것이고, 성내고 불만을 터뜨리는 것은 강하지 못한 것입니다. 부드럽고 유순할수록 그만큼 더 인간다운 것입니다. 분노의 감정을 극복하여 이것에 익숙해지는 만큼 더 강한 능력을 갖추게 됩니다. 슬픔이 연약함의 표시이듯 분노도 연약함의 표시입니다. 이 두 가지 경우에 모두가 상처받아 괴로워하는 것입니다.[11]

원한다면 무사 여신들의 지휘자에게서 열 번째 선물을 받도록 하십시오. 나쁜 인간들이 잘못을 범하지 않을 것이라고 여기는 것은 미친 짓입니다. 그것은 불가능을 바라는 것입니다. 하지만 그들이 다른 자들에게 잘못하는 것을 묵과하면서 당신에게 잘못하지 않을 것이라고 여기는 것은 몰상식하고 독선적인 것입니다.

19. 특히 당신은 네 가지 주도적 일탈을 끊임없이 경계해야 하고, 그것을 찾아낼 때마다 각각 다음과 같이 크게 소리치며 제거해야만 합니다. "(첫째) 이런 생각은 필요하지 않습니

---

[11] '분노와 분노의 관리'라는 주제는 고대 철학자들에게 큰 관심거리였다. 플루타르코스나 세네카도 분노에 대한 주제로 기록을 남겼다. 아리스토텔레스 학파는 분노가 이성적인 마음을 뒷받침할 수 있는 일종의 에너지라고 보았다.

다. (둘째) 이것은 사회적 유대를 와해시킬 수 있습니다. (셋째) 당신이 말하려는 것은 당신의 진짜 마음에서 나온 것이 아닙니다." 진짜 마음에서 말하지 않은 것을 가장 부조리하다고 여기십시오.

네 번째는 당신 자신을 비난하는 것입니다. 그것은 당신 안에 있는 신적인 부분에 비해 덜 존경스럽고 죽을 수밖에 없는 부분, 즉 육신에, 그리고 유치한 쾌락에 굴복하고 압도당했다는 증거입니다.

20. 당신 몸에 섞여 있는 공기에 속한 부분과 불에 속한 부분은 본래 위로 오르는 것이지만, 우주의 질서에 따라 여기 몸이라는 결합체에 가두어져 있습니다. 당신 안에 있는 온갖 흙의 성질과 물의 성질은 아래로 떨어지는 경향이 있어도 상승하여 자신의 본성이 아닌 상태에 있습니다. 이렇듯 원소들은 만물에 복종하고 있는데 강제로 어떤 곳에 배치되면 다시 거기서 분리되라는 신호가 있기까지 머물러야 합니다.

당신의 지성 부분만 자신의 위치에 불순종하며 짜증을 낸다면 이상한 일이 아닐까요? 지성에는 어떤 강제도 주어지지 않고 본래 지성에 있는 것만이 주어집니다. 그런데 지성은 그것도 받아들이지 않고 반대편으로 갑니다. 불의와 방종, 분노와 슬픔, 공포를 향한 움직임은 자연을 이탈한 자의 것일 뿐, 다른 어떤 것도 아닙니다.

관리하는 이성이 생성되는 무언가를 견디지 못한다면, 그 순간마다 자신의 자리를 떠나게 됩니다. 관리하는 이성은 정의 못지않게 신앙과 경건을 위해 만들어졌습니다. 이런 덕들도 사회에 유익하며 정의로운 행동보다 더 앞섭니다.

21. 인생의 목표가 진정 하나가 아니라면 전 생애를 통해 진성 하나일 수 없습니다. 이 목표가 어떤 것이어야 하는지 덧붙이지 않는다면 내가 방금 한 말만으로는 부족합니다. 마치 많은 사람들이 어떤 사물을 두고 하는 판단은 동일하지 않지만, 어떤 특정한 사물에 대해서는 좋다는 판단이 일치하는 것과 마찬가지로, 우리도 사회와 국가에 이익이 되는 하나의 목표가 있어야만 합니다. 이런 목표를 향해 자신의 모든 노력을 쏟아붓는 자는 모든 행동이 한결같고 자신도 한결같을 것입니다.

22. 시골 쥐와 도시 쥐를 생각하십시오. 그리고 도시 쥐의 불안과 두려움을 생각하십시오.[12]

23. 소크라테스는 많은 사람의 억견에 대해, 아이들을 놀라게 하는 도깨비[13]라고 불렀습니다.

---

12 흔히 영문식 표기의 발음 '이솝'으로 알려진 아이소포스의 우화 중 하나이다.

13 원문에는 '라미아'인데, 고대 그리스 전설에 나오는 여왕으로, 자신의 아이들이 죽자 다른 아이들의 살해를 명령했다. 그래서 라미아는 아이들에게 자신들을 잡아 먹는 괴물의 상징이 되었다. 플라톤, 『크리톤』 46c. "버릇 없이 굴면, 라미아가 잡아 간다."

24. 라케다이몬인들은 외국 내빈들에게는 그늘진 자리를 내주고, 자신들은 아무 데나 앉았습니다.

25. 소크라테스는 페르딕카스[14]의 초대를 사양한 것에 대하여 "내가 가장 비참하게 죽고 싶지 않다."라고 말하였다고 전하는데, 갚을 수 없는 은혜를 입고 싶지 않았기 때문입니다.

26. 에페소스인들의 글에는 미덕을 잘 지킨 현인 중 한 사람을 계속 기억하라는 말이 전해지고 있습니다.

27. 퓌타고라스학파가 새벽에 하늘을 보라고 했는데, 늘 같은 궤도를 따라 같은 방식으로 자신들의 일을 완성하는 천체들과 질서정연함, 순결함과 순진무구함을 우리에게 환기시키기 위함이었습니다. 어떤 휘장으로도 별을 가릴 수 없기 때문입니다.

28. 크산팁페[15]가 소크라테스의 겉옷을 들고 밖에 나갔을 때 가죽으로 몸을 가리고 있던 소크라테스는 어떤 사람인지, 또한 거리를 활보하는 그를 보고 부끄러워하며 뒤로 물러나는 친구들에게 소크라테스가 한 말은 무엇인지 기억하도록 하십

---

14 마케도니아 왕으로 그리스 문화를 받아들이기 위해 노력했다. 그는 자기 아이들의 교사로 소크라테스를 초대했는데, 소크라테스는 친절을 충분히 갚을 수 없다고 여겨 거절했고, 이에 반해 에우리피데스를 비롯한 여러 유명 인사들이 갚을 수도 없는 아르켈리우스의 초대를 받아들였다고 한다. 아리스토텔레스, 『수사학』1398a.

15 소크라테스의 아내.

시오.[16]

29. 쓰기와 읽기는 배우기 전에는 당신이 먼저 자신에게 지도할 수 없으니, 인생에서도 많은 부분이 그러합니다.[17]

30. 이성이 없다면 당신은 노예입니다.

31. 내 마음속에서 웃었습니다.[18]

32. 그들은 미덕을 심한 말로 책망할 것입니다.[19]

33. 겨울에 무화과를 찾는 자는 미친 자이며, 이제는 아이를 갖지 못할 나이에 아이를 찾는 자도 마찬가지입니다.[20]

34. 에픽테토스가 말했습니다. "제 자식에게 입을 맞출 때 '내일 너는 죽을지도 모른다.'라고 마음속으로 말해야 한다." 라고 했습니다. 그것은 필시 재수 없는 말입니다. "천만에." 하고 에픽테토스는 말했습니다. "자연의 과정을 보여주는 것이

---

16   소크라테스가 무슨 말을 했는지 정확하게 알려지지 않고 있다.

17   기원전 6세기 초 아테네 시인이자 정치가, 그리고 7현중 한 명이었던 솔론은 "명령하기 전에 순종하는 법을 배우라."라고 말했다. 디오게네스 라에르티우스, 『철학자들의 삶』 1.60.

18   호메로스, 『오디세이아』 9.413.

19   헤시오도스, 『일과 나날』 186. 아우렐리우스의 기억이 부정확하거나 의도적으로 패러디한 것으로 볼 수 있다. 명상록 원문은 "그들은 미덕을 심한 말로 책망할 것입니다.(Μέμψονται δ ἀρετὴν χαλεποῖς βάζοντες ἔπεσσιν.)"이다. 헤시오도스의 『일과 나날』에는 "그들은 그들을 심한 말로 책망할 것입니다.(μέμψονται δ ἄρα τοὺς χαλεποῖς βάζοντες ἔπεσσι)"이다.

20   에픽테토스, 『담화』 3.24.86~87와 유사하다. 아이를 갖지 못할 나이에 자녀를 얻지 못한 것이나 자녀가 없는 부부생활을 슬퍼하는 것은 무의미한 일이다.

라면 재수 없는 말이 아니다. 그렇지 않다면 곡식을 베는 것도 재수 없는 것이 되리라."[21]

35. 신 포도, 익은 포도, 건포도. 모든 것은 변합니다. 모든 것이 존재하지 않는 것이 되는 것이 아니라, 지금 존재하지 않는 것이 되는 것입니다.[22]

36. "누구도 우리의 자유의지를 빼앗을 수 없다." 에픽테토스의 말입니다.[23]

37. 에픽테토스가 말했습니다. "사람은 동의[24]하는 기술을 발견해야만 한다. 충동의 전 영역에서 충동이 조건 지어지고, 공동체의 이익에 유익하고 목표의 가치에 비례하도록 주의해야 한다. 그리고 욕망은 완전히 버리고, 우리에게 본래 없는 것은 활용하지 않도록 피해야 한다."[25]

38. 그가 말했습니다. "싸움은 어떤 공통의 문제에 대한 것이 아니라, 우리가 미쳤느냐 미치지 않았느냐에 대한 것이다."[26]

39. 소크라테스가 말하곤 했습니다. "당신들은 무엇을 바

21 위와 같음. 죽음은 자연스러운 과정임을 상기시킨다.
22 『담화』 3.24.91-92.
23 『담화』 3.22.105.
24 스토아주의의 용어이다. 3권의 13번과 17번 각주를 참조하라.
25 『단편』 27. Schenkl.
26 『단편』 28. Schenkl.

라나요? 이성적인 사람의 영혼, 아니면 비이성적인 사람의 영혼을 갖고 싶은가요?"

"이성적인 사람의 영혼입니다."

"이성적인 사람의 영혼은 어떤 것인가요? 건전한 것인가요, 건전하지 않은 것인가요?"

"건전한 것입니다."

"그러면 당신들은 왜 구하지 않나요?"

"우리는 그것을 이미 갖고 있습니다."

"그러면 당신들은 왜 다투고 편을 가르나요?"[27]

---

27 현존하는 소크라테스 관련 저작에서 이런 부분은 아직까지 발견되지 않았다. 오히려 에픽테토스의 『단편』(28a. Schenkl)에 가깝다.

명상 포인트

1. 지금 내가 처한 상황을 해석하는 데
어떤 철학적 사고가 필요할까?

2. 당신을 가로막는 자가 있을 때
어떻게 대처해야 하는가?

3. 누가 나를 멸시하거나 미워한다면
어떻게 처신해야 할까?

4. 내가 지금 두려워하는 게 있다면
왜 그것을 두려워하는지 생각해 보자.

12권 휴식 관리

1. 당신이 우회로를 통해 이루고 싶은 모든 것을 지금 가질 수 있습니다. 단, 스스로 거부하지 않아야 합니다. 당신이 지나온 온갖 길은 뒤에 놔두고 미래는 우주 원리에 맡긴 채, 현재는 경건과 정의와 함께 살아간다면 바로 그렇게 하는 것입니다. 경건과 함께 살면 당신은 자신의 몫을 사랑하게 됩니다. 자연이 당신에게 경건을 주었고 또 당신을 경건으로 인도하기 때문입니다.

그리고 정의와 함께 살면 당신은 얽매이지 않고 자유롭게 진실을 말하고 법과 사물의 가치에 따라 일을 이룰 수 있습니다. 그러므로 다른 사람의 사악함이, 또한 그들의 생각과 말이, 그리고 당신을 둘러싼 이미 다 성장한 몸의 감각이 당신에게 장애가 되지 못하도록 하십시오. 장애를 겪었다면 그 몸을 살 피도록 하십시오.

세상을 떠날 때 당신이 지닌 관리하는 이성과 신성만을 존중하고, 다른 전부는 내려놓으십시오. 언젠가 생이 끝나리 라는 것 때문이 아니라 아직도 진짜 삶을 시작하지 못했기 때 문에 두렵다면, 당신은 낳아준 우주에 걸맞은 사람이 될 것입 니다. 또한 조국의 이방인이 되지 않을 것이고, 매일 생기는 일 에 대해 예기치 못한 양 놀라지 않을 것이며, 이런저런 것에 의 존하지도 않을 것입니다.

2. 신은 누군가의 관리력을 볼 때 그의 물질로 된 몸체와 그것을 덮은 것과 오점은 제쳐두고 그 자체만 살펴봅니다. 왜 나하면 신은 오직 자신의 지성으로서 자신으로부터 흘려보낸 관리하는 부분들만 보기 때문입니다.

그래서 당신도 지성에 익숙해지면 많은 고통에서 벗어날 것입니다. 자신을 에워싼 몸에 아랑곳하지 않는 자는 의복과 거 처, 평판, 그런 부류의 겉치장에도 골몰하지 않기 때문입니다.

3. 당신은 세 가지로 구성되었습니다. 몸, 숨결, 지성. 그중 에 앞의 두 가지는 보살펴야 할 때까지만 당신의 것이고, 지성 만이 당신이 지닌 고유한 것입니다. 타인의 행동과 모든 말, 당 신의 행동과 모든 말, 미래의 모든 불안, 당신을 감싼 몸과 결 합한 호흡이 당신의 의도와 상관없이 가져온 모든 결과물, 그

리고 당신을 둘러싼 외부 소용돌이를 타고 둥글게 휘도는 모든 것을 당신 자신으로부터, 즉 당신의 지성으로부터 떼어낸다면, 그래서 운명의 끈에서 지성의 능력(관찰력)을 끌어내어 순수하고 자유롭게 독립적으로 살면서, 올바르게 행하고 닥친 일을 즐거이 여기며 진실을 말한다면, 내 다시 말하지만, 정염에 붙잡힌 것들과 미래와 과거의 일을 관리하는 이성으로부터 떼어낸다면, 그래서 자신을 엠페도클레스의 "일정하게 순환하고 즐거이 휴식하는" 천구처럼 만든다면, 그리고 당신이 사는 삶, 즉 현재에만 마음을 쏟는다면, 당신은 남은 생을 동요 없이 자신의 수호신께 즐거이 복종하며 지낼 것입니다.

4. 내가 종종 놀란 것은, 우리는 각자 다른 사람들보다 자신을 더 사랑하는데도 다른 사람들의 생각을 자신의 생각보다 더 중시한다는 점입니다. 하지만 신이나 스승이 어떤 사람에게 나타나, 큰 소리로 표현할 수 없는 생각은 마음에 새기지도 말고 떠올리지도 말라고 가르친다면, 그 사람은 단 하루도 견디지 못할 것입니다. 그런데도 우리는 자신보다 이웃이 우리를 어떻게 생각하는지에 대해 더 큰 관심을 보이고 있습니다.

5. 신들은 인간을 사랑해서 만물을 잘 배치해 놓았고, 소수의 사람들만이 그것을 가장 이롭게 사용하면서 신성을 최대한 나누어 갖고, 경건한 일과 성스러운 의식을 통하여 신성에 매우 가까워졌습니다. 하지만 한 번 죽으면 이제 다시는 살지

못하고 완전히 사라진다는 이 한 가지 사실을 어떻게 우리가 소홀히 넘길 수 있겠습니까? 소홀히 했다면 이와는 별도로 신들께서 안내하셨다는 점을 유념하십시오. 그것이 옳다면 그렇게 될 수 있어야만 하고, 그것이 자연에 순응하는 것이라면 자연이 그것을 가능하게 했을 것이기 때문입니다.

소홀히 하지 않는다면 그렇게 되지 않을 것이니 그렇게 해서는 안 된다고 확신하십시오. 이것을 따져 묻는 것은 신께 항변하는 것으로 보아야 합니다. 신들께서 가장 선하고 가장 올바르지 않다면 우리는 신께 그렇게 항변하지 않을 것입니다. 신들께서 가장 선하고 올바르다면 우주를 배치할 때 어떤 것이 올바르지 않고 이성에 맞지 않게 소홀히 다뤄졌는지 관심을 가진 것입니다.

6. 가장 절망적일 때도 성취하려는 일에 익숙해지도록 훈련하십시오. 훈련이 부족하여 모든 일에 서툰 왼손도 고삐를 제어하는 데에는 오른손보다 더 강한 법입니다. 왼손이 이 일을 익혔기 때문입니다.

7. 죽음이 불시에 닥쳤을 때 아마도 몸과 마음이 다음의 상태를 느낄 것입니다.[1] 인생의 덧없음. 과거와 미래로 흐르는 시간의 무한함, 모든 물질의 연약함.

1 　"죽음에 대한 준비"는 플라톤의 『파이돈』에서 다뤄진다.

8. 껍데기를 벗기고 본바탕, 그러니까 행동의 목적이 무엇인지, 고통이 무엇인지, 즐거움이 무엇인지, 죽음과 명성이 무엇인지를 생각하십시오. 자신을 불안하게 만드는 원인이 누구에게 있는가, 어떻게 해야 사람은 타인에게 방해받지 않는가, 결국 모든 것은 의견에 불과하다는 것을 숙고하십시오.

9. 당신은 원칙들을 적용할 때 검투사가 아니라 팡크라티온 선수처럼 하십시오. 검투사는 쓰던 검을 떨어뜨리면 죽게 되지만, 팡크라티온 선수에게는 항상 손이 있으니 주먹만 쥐면 겨룰 수 있기 때문입니다.

10. 사물을 물질, 원인, 목적으로 구분하여 살피십시오.

11. 인간은 얼마나 대단한 능력이 있는지요. 신이 칭찬할 일과 허용하는 일을 제외하고는 어떤 것도 하지 않으니까요.

12. 자연에 순응하여 발생한 일에 대하여 신은 의도했든 아니든 실수하지 않기 때문에 우리는 신뿐만 아니라 인간도 비난하지 말아야 합니다. 왜냐하면 인간은 의도적으로 잘못하지는 않기 때문입니다. 따라서 누구도 비난하지 마십시오.

13. 인생에서 벌어진 일에 대해 놀라는 자는 얼마나 우습고 이상한가요.

14. 숙명적 필연성과 불변의 질서 혹은 온화한 섭리가 있거나, 아니면 관리가 없는 무의미한 혼돈이 있습니다. 숙명적 필연성이 있다면 당신은 왜 저항하나요? 화해시키는 섭리

가 있다면 당신 자신을 신성의 도움을 받을 사람으로 만드십시오.

관리가 없는 혼돈이 있다면 이런 거센 파도 속에서도 당신 안에 어떤 주도적 지성이 있음을 기쁘게 여기십시오. 파도가 당신을 휩쓸고 갈지라도 당신 지성은 휩쓸어 가지 못하니 몸뚱이와 호흡, 그 외의 것들은 가져가게 내버려두십시오.

15. 등불은 꺼질 때까지 빛을 잃지 않고 반짝이는데, 당신 안에 있는 진실과 정의와 절제가 먼저 사그라들까요?

16. 어떤 사람이 뭔가 잘못한 인상을 줄 때 "그가 잘못하였다는 것을 나는 어떻게 알까요?" 심지어 그가 정말 잘못했음에도 "그가 자책하지 않고 마치 자신의 얼굴을 할퀴는 것처럼 된 것을 나는 어떻게 알까요?"

나쁜 자가 잘못하지 않기를 바라는 것은, 마치 무화과나무가 그 열매에 즙이 없기를 바라고 아기가 울지 않기를 바라며 말이 울부짖지 않기를 바라고 기타 필연적인 일들이 일어나지 않기를 바라는 것과 마찬가지입니다. 그런 형편의 사람에게 무엇을 얻겠습니까? 당신이 아주 크게 화를 내는 자라면, 이것부터 고치십시오.

17. 알맞지 않으면 행하지 말고 진실하지 않으면 말하지 마십시오.

18. 만물이 당신에게 드러내는 모습이 무엇인지 항상 관

찰하십시오. 형상과 질료, 목적, 그리고 반드시 결과로 그것을 나누어 해결하십시오.

19. 꼭두각시 줄로 당신을 조종하는 것처럼, 다양한 감정을 일으키는 것보다 더 우월하고 더 신령한 무엇인가가 당신 안에 있음을 깨달으십시오. 지금 나의 지성에는 무엇이 있습니까? 혹시 공포나 의혹, 또는 욕망이나 그 밖의 것은 아닌지요?

20. 첫째, 목적 없이 즉흥적으로 행동하지 마십시오. 둘째, 사회의 목적에 유익하게 행하십시오.

21. 오래지 않아 당신은 어디에도 없을 것이고, 지금 당신이 보고 있는 것과 지금 살아 있는 사람들도 곧 그렇게 될 것임을 생각하십시오. 만물은 자연에 따라 바뀌고 변하고 사라져, 또 다른 것들이 연이어 생기도록 합니다.

22. 모든 것은 생각하기 나름이고, 생각은 당신의 권한에 달렸음을 명심하십시오. 따라서 당신이 원한다면 당신의 생각을 버리십시오. 마치 지형이 험한 해안가를 벗어난 선원에게 보이는 것처럼 당신 눈에는 모든 것이 고요하고 평온하며 파도치지 않는 항구가 보일 것입니다.

23. 당신이 어떤 행위이든 때를 맞춰 적절하게 중단하면 그 중단 덕에 어떤 해도 입지 않습니다. 그런 행동을 한 누구라도 어떤 해를 보지 않습니다. 마찬가지로 온갖 행위의 연속인

인생도 적절한 때에 중단하면 그 중단 덕에 어떤 해도 입지 않습니다. 그 행동을 한 누구라도 그 중단 덕에 어떤 해를 보지 않습니다.

하지만 때와 한계는 자연이 정하는 것이니, 노년 정도가 되면 자신의 고유한 본성으로 정하겠지만, 전반적으로는 우주의 본성이 정합니다. 본성의 한 부분씩 변하면서 우주 전체가 젊고 완벽하게 됩니다. 보편에 유익한 것은 항상 좋고 시기도 항상 적절합니다.

모든 인간에게 삶의 종말은 어떤 악도 아닙니다. 죽음은 의지와 무관하고 공동체의 이익에 반하지도 않으며 전혀 수치스럽지 않습니다. 죽음은 시의적절하기에 좋고 보편적이고 유익하기에 선한 것입니다. 그래서 이처럼 신성에 의해 움직이고 신성과 같은 방식으로 움직이며 지성 속에서 같은 것을 향하여 움직이는 사람 또한 신성에 의해 움직이는 것입니다.

24. 다음의 세 가지 원칙을 준비하십시오. 첫째, 어떤 일을 할 때 생각 없이 또는 정의 자체와 다르게 행하지 마십시오. 밖에서 발생한 일은 우연이나 섭리에 따라 일어난다는 것을 명심하십시오. 우연이나 섭리를 비난하지 마십시오.

둘째, 사내의 씨로부터 시작하여 신에게서 마음을 받을 때까지 마음을 받은 때부터 마음을 돌려줄 때까지 모든 존재가 과연 무엇인지를 생각해 보십시오. 모든 존재가 어떻게 결합하고 어떻게 분리하는지를 생각해 보십시오.

셋째, 당신이 별안간 공중으로 들어 올려져 다양한 인간 사를 내려다보게 된다면, 그뿐 아니라 얼마나 많은 무리들이 하늘과 공중에서 당신 주위를 둘러싸고 있는지를 본다면, 당신은 인간사를 대수롭지 않게 생각할 것이고 설령 자주 들어 올려져도 매번 똑같은 광경에 모든 것이 같은 종류뿐이어서 모든 것이 무상하다고 느낄 것임을 생각하십시오. 그런데도 당신은 이런 땅의 것들이 자랑스러운가요?

25. 생각을 밖에 던져버리십시오. 구원받을 것입니다. 생각을 밖으로 버리는 것을 누가 막겠습니까?

26. 당신이 뭔가 괴롭다면 다음과 같은 것을 망각했기 때문입니다. 만물은 우주의 본성에 따라 생깁니다. 타인의 잘못은 당신에게 아무것도 아닙니다. 일어나는 모든 사건은 늘 그렇게 일어났고, 일어날 것이며, 지금도 곳곳에서 그렇게 일어나고 있습니다.

한 인간과 전 인류 사이의 유사성이 얼마나 큰가요. 이 관계는 피와 씨의 공동체가 아니라 지성의 공동체를 말합니다. 각자의 지성은 신성이며, 지성으로부터 신성이 흘러나온 것임을 또한 잊지 마십시오. 자신의 것은 아무것도 없으며 자식과 몸, 자신의 마음도 신성으로부터 온 것임을 잊지 마십시오. 마지막으로 모든 것은 생각일 뿐이며, 각자는 현재만을 살고 오직 현재만을 잃는다는 것을 잊지 마십시오.

27. 어떤 것에 몹시 격분했던 자들과 명성이나 불운, 원한이나 어떤 운수 때문에 눈에 가장 잘 띈 자들을 계속해서 기억하십시오. 그리고 지금 그들이 어디 있는지 생각해 보십시오. 그곳은 안개와 잿더미 속이거나, 풍문으로만 남았거나 그마저도 없습니다. 시골에 있는 파비우스 카툴리누스,[2] 자기 정원에 있는 루시우스 루푸스,[3] 카프리아이에 있는 티베리우스, 벨리우스 루프스, 그리고 일반적으로 오만과 함께 나타나는 어떤 강박을 떠올려 보십시오. 그들이 그토록 추구했던 전부가 얼마나 무가치한 것이었는지 생각해 보십시오.

그리고 자기에게 주어진 환경에서 자신이 올바르고 신중하며 신들을 따르는 모습을 보여주는 것이 얼마나 철학자다운지를 생각하십시오. 철학자로 꾸밈없이 수수하게 사십시오. 왜냐하면 교만하지 않은 것처럼 보이면서 권위를 내세우는 것은, 교만 중에서도 가장 참기 어려운 교만이니까요.

28. "어디서 신들을 보았고, 어떻게 신들을 이해했기에 그토록 경배합니까?"라고 질문하는 자들에게 대답하십시오. 첫째, 신들이 내 두 눈에 보이고, 둘째, 나는 아직 내 마음을 본 적이 없지만 존중합니다. 신들에 대해서도, 그들의 능력을 끊임

---

2   하드리아누스 황제 시대의 집정관.
3   바이아이에 있는 스테르티니우스 네아폴리스의 부유한 상인.

없이 체험함으로써 신들이 존재한다는 것을 이해하며 신들을 경배합니다.

29. 인생의 안전[4]은 만물을 철저히 관찰하여 그것 자체가 무엇인지, 즉 그 재료와 그 원인은 무엇인지에 대하여 아는 것입니다. 그리고 온 힘을 다해 옳은 것을 행하고 진실을 말하는 것입니다. 빈틈이 없을 정도로 계속 좋은 일을 하면서 인생을 누리는 것 이외에 남은 것이 또 무엇이겠습니까?

30. 햇빛이 담벼락과 산봉우리와 다른 수많은 것에 산란을 일으킬지라도 결국 하나입니다. 존재는 다양한 개별적 특징들을 지닌 수많은 개체로서 공통적인 것을 공유하는 동시에 각각 분할되어 있을지라도 하나입니다. 영혼은 수많은 본성들에, 그리고 개별적 한계 안에 나뉠지라도 하나입니다. 지적 영혼은 비록 나뉜 것으로 보여도 하나입니다.

앞서 말한 것들의 다른 부분들, 즉 공기와 물질은 감각도 없고 연대도 하지 않습니다. 그런데도 이 부분들을 지성의 원리가 함께 잡아주고, 중력은 똑같은 곳을 향합니다. 하지만 지성은 스스로 같은 성질을 향해 뻗어나가 그것과 연합하여서 공동체를 위한 감정에 절대로 방해되지 않게 합니다.

---

4   원문의 '소테리아(σωτηρία)'는 기독교에서 '구원'이라는 의미로 사용한다. 고전 그리스어에서는 구원에 해당하는 '건져냄' 외에도 '지속'의 의미도 있다. 구원은 건져냄이기도 하지만 그 상태의 지속도 포함한다. 그런 의미에서 '안전'으로 옮겼다.

31. 당신은 무엇을 소망하나요? 계속해서 숨쉬고 싶나요? 감각하고, 욕구하며, 성장하기를 원하나요? 아니면 성장하기는 멈추고, 말하고 생각하는 것을 원하나요? 이것들 중 어떤 것이 소망할 만한가요? 하지만 각각의 것들이 거의 무가치한 것이라면, 최종 목표인 이성과 신에게로 나아가십시오. 하지만 다른 것들을 높이 평가했다가 죽음 때문에 이것들 중 어떤 것을 잃게 되어 슬퍼하는 것은 최종 목표와 서로 모순됩니다.

32. 무한과 영원에 비해 각자에게 할당된 시간은 얼마나 적은 일부분인지요! 영원 속으로 순식간에 사라져버릴 것입니다. 이것은 존재 전체에서 얼마나 작은 일부이며 우주의 영혼에 비해 얼마나 작은 부분인가요! 전체 대지에 비해 얼마나 작은 흙덩이 위를 당신은 걷고 있나요. 이 모두를 마음속 깊이 간직하십시오. 당신의 본성이 이끄는 대로 행하는 것 이외는, 그리고 공통 본성이 가져오는 것 이외에는, 어떤 것도 위대하다고 생각하지 마십시오.

33. 관리하는 이성은 자신을 어떻게 활용하나요? 만물이 그 속에 있습니다. 나머지는 당신이 선택했든 아니든 생명이 없는 재이며 연기일 뿐입니다.

34. 쾌락을 선으로, 고통을 악으로 판단한 자들도 동일하게 죽음을 경멸하였다는 것은 죽음에 대한 경시 풍조에 가장

잘 고무된 것입니다.

35. 적절한 시기에 일어난 것만이 선이라고 하는 자에게, 그리고 올바른 원리에 따라 행한 일이면 그것이 많든 적든 동일하다고 여기는 자에게, 또한 세상을 보는 시간이 짧든 길든 차이가 없다는 자에게, 죽음은 두려운 것이 아닙니다.

36. 여기 있는 인간이여, 당신은 이 큰 도시의 시민으로 살았으니 5년이든 3년이든 당신에게 무슨 차이가 있겠습니까? 도시의 법을 지키며 사는 것은 마찬가지입니다. 도시에서 당신을 내보낸 것이 폭군이나 불의한 재판관이 아니라 당신을 그 도시로 안내하였던 자연이라면, 무엇이 두렵단 말인가요? 그것은 고위 관리[5]가 희극배우를 고용했다가 무대에서 해고하는 것과 같습니다.

"나는 5막이 아니라 3막만을 마쳤소."[6] 근사한 표현입니다. 당신의 연극은 3막이 끝입니다. 5막으로 된 연극은 이전에 기획한 자가 구성했고, 3막은 지금 막을 내리는 자가 결정하기 때문입니다. 당신은 5막이든 3막이든 어느 쪽에도 책임이 없

---

5   고대 로마에서는 praetor(법무관)이 시민에게 연극을 볼 수 있는 행정적 절차를 마련했다.

6   "인생은 연극이다."라는 생각으로 끝을 맺으면서(3.8, 9.29, 10.27, 11.1, 12.2). 인생의 기간이 중요하지 않다고 강조한다. 특히 2.14를 보라. 아우렐리우스는 자신이 평소 생각했던 것보다 일찍 죽음을 맞이하고 있는 것 같다. 그것을 5막이 아닌 3막으로 마쳤다고 표현한다.

으니 즐거운 마음으로 떠나십시오.[7] 당신을 떠나게 하는 자도 즐거운 마음일 것입니다.[8]

---

7   평온하게 죽는 것에 대한 부분은 2.3, 2.17, 4.48에서도 나타난다.

8   맥락이 이해가 되도록 의역했다. 원문을 그대로 옮기면 이렇다.
     "나는 5막이 아니라 3막만을 마쳤소." 좋은 표현입니다. 당신 인생에서 3막이 연극
     의 전부입니다. 왜냐하면 연극의 마지막은 이전에 그것을 기획한 자가 결정했고,
     지금은 막을 내리는 자가 결정하기 때문입니다. 당신은 어느 쪽에도 책임이 없으니
     즐거운 마음으로 떠나십시오. 당신을 떠나게 하는 자도 즐거운 마음일 것입니다.

명상 포인트

---

1. 절망도 나를 성장시키는 연단이 되는
이유는 무엇인가?

---

2. 타인의 생각이나 시선 때문에 좌지우지되거나
잘못 판단한 적이 있는지 점검해 보자.

---

3. 나는 이 땅의 무대를 떠나기 전에
무엇을 정리해야 할까?

마르쿠스 아우렐리우스

작품에 대하여

『명상록』은 삶의 개선을 위해 자기를 변화시키려는 사람에게 좋은 안내서가 될 것이다. 실제로 이 책은 하루를 시작하거나 마무리하면서 떠오르는 사색을 기록한 일기에 가깝다. 그래서 다양한 주제가 순서 없이 여러 번 반복된다. 아마도 이 기록들은 처리할 업무를 바라보며 자신을 다독이는 그만의 방식이었을 것이다.

최선의 인생은 그릇된 삶의 자세를 고치고 새롭게 시작함에 있다. 훈련은 신체에만 필요한 것이 아니라 인생에도 필요하다. 그래서 이 안내서를 따라 규칙적으로 익히다 보면 우리 삶이 개선되는 데 도움을 얻을 것이다.

나 자신에게 되돌아가라

항상 자기에게 말을 붙이고 다시 되받아 자기에게 대답한다. 잇따라 혼자 말하고 혼자 답하면서 그러다가 웃기도 하고 울기도 한다. 그리고 마음을 다잡는다. 창검이 빗발치던 전장의 막사에서 마르쿠스 아우렐리우스는 '자신에게' 끊임없이 말했다. 도대체 어떤 심정으로 독백을 이어갔을까?

> 주위가 뒤숭숭할 때 재빨리 당신에게 돌아가십시오. 필요 이상 오래 인생의 박자를 놓치지 마십시오. 끊임없이 자신에게 되돌아가면 주위는 훨씬 더 조화로우니까요. (6권 11)

역설적이게도 그는 혼란스러울 때마다, 주위와 더 어울리고 싶어 자신에게 말을 걸었다. 그때 인생에 박자를 맞추게 되는데 그 박자란 게 관찰력, 결단력, 절제력이다. 이 삼박자는 철학·선택·관리 훈련을 통해 인생에 잘 맞아떨어질 때 주위 것들과 조화를 이루게 된다.

'철학' 훈련은 우리에게 삶의 관찰력을 키워주고 그 관찰력으로 얻은 정보로 선택할 수 있게 한다. '선택' 훈련은 진정 필요한 사안에 집중하여 판단하는 결단력을 길러주며 '관리' 훈련은 현재를 올바르게 살 수 있도록 조절하고 절제하도록 하는 능력을 갖게 한다.

아우렐리우스는 새로운 시작을 위해서 철학, 선택, 관리라는 특별 훈련을 제안했다. 개선된 인생은 자기에게서 시작하여 주위로 나아간다. 먼저 자신의 철학을 바꾸고 바라보는 방식을 바꿀 때 시작하기가 훨씬 수월하다. 늘 명심하자. 지속적인 훈련이 없다면 다시 제자리로 돌아감을.

1. 철학 훈련

시작을 위한 세 가지 훈련 중 가장 우선시되는 것은 철학이다. 응급수술이 위급 환자에게 새 생명의 시작이듯, 철학 훈련은 비뚤어짐을 곧게 펴게 한다. 아우렐리우스는 철학의 장점을 이렇게 말했다.

그렇다면 무엇이 우리를 강하게 할까요? 오직 하나, 철학입니다. 철학은 우리의 얼이 욕되거나 훼손되지 못하게 막아주고, 또한 우리가 쾌락과 고통을 관리하며 목적없이 행동하지 않게 하고, 속이거나 가장하지도 않으며 타인이 무엇을 하든 말든 욕망을 비우게 하고, 심지어 우연이나 운수도 동일한 근본에서 온 것으로 받아들이게 하고, 죽음은 각 생명체를 구성한 다양한 요소들의 결합이 풀어지는 것에 불과하다 여기며 그 죽음을 즐겁게 기다리게 합니다.(2권 17)

철학은 인생의 싸움터에서 우리를 강하게 한다. 여기서 '강하다'라는 단어는 이외에도 '능력이 있다', '잠재력을 지니다'를 뜻하는 '뒤나마이(δύναμαι)'다. 즉 철학은 잠재력을 통해 생의 어려움을 바꿀 수 있는 능력을 지닌다. '위급 인생'이 안전하기 위해서는 위와 같이 인간 됨됨이, 감정과 행동의 목적, 생명과 죽음 등을 알아야 한다. 여기에 열거된 것들이 곧 인생을 강화할 수 있는 기술들이며, 그것은 철학 훈련을 통해 습득된다.

아우렐리우스는 인생의 기술을 주위 사람들에게서 찾았다. 1권에서 자신에게 본보기가 된 사람들을 나열하는데 자신을 보살펴 준 어머니와 가족들, 스승들, 친구들, 황제 자리를 준비시킨 선대 황제 안토니누스 피우스, 심지어 황제의 첩들을 상세히 기록했다. 그렇게 주위 사람을 관찰하여 얻은 배움은 자신의 인생 기술에 활용된다.

1.1. 마음의 관찰

철학 훈련의 1단계는 관찰, 즉 '봄'과 관련된다. 사계절이

봄[1]에서 시작하듯 철학은 사물을 깊이 관찰할 때 그 성질과 가치, 목적을 알 수 있다.

깊이 관찰하십시오. 그 고유한 성질이나 가치, 목적을 놓치지 마십시오. (6권 3)

그런데 우리는 물건을 소중히 여기면서도 주위를 세심하게 관찰하지 못하는 경우가 있다. 이렇게 관찰력이 떨어지는 이유는 마음이 어수선하기 때문이다. 이 책의 많은 곳에서 관찰의 대상으로 마음이 지목되는 이유도 그만큼 산만한 마음을 고치려 했기 때문이다.

겸손하게 자신의 마음을 관찰하고 끊임없이 주의하여 따져보십시오. (3권 6)

지금 나는 무엇을 위해 내 마음을 사용할까요? 매사에 스스로 묻고 점검하십시오. (5권 11)

자신의 마음을 살폈다면 이제 다른 사람을 관찰할 차례다.

---

1   봄은 따뜻한 온기가 다가옴을 뜻하는 '불(火)+올(來)'에서 그 어원을 찾기도 하지만 약동하는 자연 현상을 단순히 본다(見)라는 의미에서 찾기도 한다.

남의 말을 관찰하는 습관을 갖되 가능하다면 화자의 마음속으로 들어가도록 하십시오.(6권 53)

1.2. 대화의 관찰

어두운 터널을 빠른 속도로 운전할 때 터널의 좁은 출구만 눈에 들어온다. 주위는 온통 깜깜하다. 전투기 조종사의 수직 급상승이나 자동차의 터널 주행, 또는 안질환의 일종에서 나타나는 이 현상을 '터널 비전' 효과라 한다. 대화의 상대가 아주 두려운 상대라면 잔뜩 겁을 먹고 그 말의 진위와 상관없이 맥락을 보지 못하는 심리상태에서도 나타난다. 바로 이런 심리를 막으려는 듯, 아우렐리우스는 '위에서 관찰하기'의 훈련을 제시한다.

사람들에 관하여 말할 때는 마치 위에서 땅을 내려다보듯 관찰해야만 한다.(7권 48)

드론이 공중에서 촬영한 영상을 본다고 해보자. 사람들이 건물들에 비해 얼마나 작은지, 그리고 또 얼마나 제각각인지, 그 사람이 두려워 봤자 작은 하나의 점일 뿐이다. 대상과 거리를 둔 '위에서 관찰하기'는 "대화의 주제에 주목"하면서도 "순간순간 다른 이들이 무엇을 하고 있는지" 그리고 "한편으로는 무엇을 목적으로 언급하는지" 그리고 "또 한편으로는 그 말의 의미가 무엇인지"(7권 4)를 파악하게 한다.

1.3. 사물의 관찰

사람의 첫인상이 중요하다고들 한다. 하지만 첫인상과 전혀 다른 사람도 많다. 사물에 대한 인상도 마찬가지다. 인상이 사물을 잘 반영할 때도 있지만 그러지 못할 때도 많다. 이것을 스토아주의에서 '인상'(판타시아, φαντασία)이라고 했다. 대상을 감각하여 우리에게 생긴 인상은 현실을 그대로 반영하기보다는 왜곡하여 망상이나 공상이 되기도 한다.

그렇다면 첫인상을 그대로 받아들이기 전에 그 인상이 바른 것인지를 관찰해야만 한다. 상대방의 첫인상에 속아 겨루기도 전에 승리감에 도취하여 패배한 사람들이 부지기수다. 철학은 현실을 속이거나 가장하지 않고 올바르게 관찰하는 능력이다. 아우렐리우스는 현실에 대한 명확한 판단이 서게 되면 남의 것에 눈독도 들이지 않는다(2권 17)고 했다.

> 만물이 당신에게 드러내는 모습이 무엇인지 항상 관찰하십시오. 형상과 질료, 목적, 그리고 반드시 결과로 그것을 나누어 해결하십시오. (12권 18)

사람을 상대로 한 싸움은 부딪치고 넘어져도 다시 일어설 수 있다. 그렇게 이길 수 있다. 하지만 자연을 상대로 한 싸움은 이기기가 쉽지 않다. 자연을 관찰하여 그 본성에 순응하게 하는 것도 관찰력의 좋은 교훈이다.

남자가 자궁에 씨 뿌리고 떠납니다. 그러면 자궁으로 들어온 것을 다른 요소가 받아 일하여서 태아가 완성됩니다. 물질에서 생기는 이런 탄생은 얼마나 놀라운지요! 다시 아이의 목구멍을 통해 내려온 음식을 다른 요소가 받아 감각과 충동을, 그리고 생명과 힘과 또 다른 대단한 것들을 만듭니다. 은밀하게 생겨나는 이런 것을 잘 관찰하십시오.(10권 26)

1.4. 목적의 관찰

우리는 삶을 개선하기가 참 어렵다. 대부분 인생의 목표를 정하지 않고 행동만 하기 때문이다. 목표 없는 행동은 지금 당장 보람될지는 몰라도 계속 지속되지는 못한다. 새롭게 변하려면 그 끝을 미리 봐야 한다. 마음과 사람과의 대화, 사물을 관찰하여 아름다운 본(本, τύπος)을 알게 되면, 우리의 마음과 사물이 가야 할 올바른 방향과 목적을 관찰하게 된다. 다음을 보자.

모든 도구, 연장, 그릇은 그것을 만든 목적을 이루면 좋은 상태입니다. (……) 어떤 이는 목적을 알아 우리가 하는 바를 의식하며 일하고 어떤 이는 모른 채 일합니다. (……) 서로 다른 별들이라도 같은 목적을 위하여 협력하지 않습니까?(6권 40~43)

사물의 방향과 목적을 알게 되면 그것이 변하는 과정에 나타나는 현상들도 예측할 수 있다. 방향을 벗어날 때마다 그릇됨과 비뚤어짐(하마르티아, ἁμαρτία)이 무엇인지도 알고 장애물이 무엇인지도 알게 된다.

고대 그리스 철학은 '텔로스(τέλος)'라는 단어를 사용해서 궁극의 목표를 나타냈다. "한 마리의 말도, 한 그루의 포도나무도 제각각 어떤 목적을 위하여 생겼"고 "태양도 어떤 목적을 이루려고 생"(8권 19)긴 것이다. 이때 목표는 방향도 의미하기 때문에 종점에서만 비뚤어짐을 알 수 있는 게 아니라 과정 중에도 벗어남을 알게 된다.

아무리 작은 일을 행할 때도 그 목적을 고려해야 하는데, 어떤 방향으로 자기 일을 끌고 나가거나 동기를 불러일으킬 수 없을 때입니다.(2권 16)

철학 훈련은 인생의 목표와 방향을 관찰하게 해준다. 이를 통해 이후 살피게 될 선택하고 관리할 수 있는 능력도 갖게 된다. 결국 인생의 방향을 잡지 못하는 자는 운이 좋을 수가 없다.

각각의 생명체는 창조된 목적에 이끌립니다. 그 이끌려진 종착지에 자기완성이 있습니다. 우리는 각자의 이로움과 좋음이 있는 곳에 목표를 둡니다.(5권 16)

좋은 운은 마음의 좋은 방향, 좋은 의도이며, 좋은 실행을 말합니다.(5권 37)

세상이 무슨 목적을 위하여 존재하는지를 알지 못하는 자는, 자신이 누구이며 세상이 무엇인지 알지 못합니다.(8권 52)

1.5. 무관함의 관찰

아우렐리우스는 2권에서 본래 선하거나 본래 악한 것 말고도 사고 작용을 통해서 구분되는 선악의 문제도 있음을 말한다. 다음을 보자.

선은 본래 좋고 악은 본래 추한 것으로 보이지만, (……) 선악의 구분은 (……) 사고 작용으로 내게 일어나는 것입니다.(2권 1)

예를 들어 건강은 선한가, 악한가? 내 머리숱은 미덕인가, 아니면 악덕인가? 질문이 좀 엉뚱했다. 건강과 머리숱 자체만으로는 선도 악도 아니기 때문이다. 선악과 무관할 뿐만 아니라 선이나 악을 만드는 데 필요하지도 않다. 물론 건강이 좋지 않거나 머리숱이 없으면 좀 불편할 수 있다. 하지만 건강이나 머리숱이 지복의 상태에 있는 자에게서 어떤 것도 앗아가지 못한다. 선이라거나 악이라고 하는 것은 단지 대상을 선과 악으로 차별하는 마음에서 나올 뿐이다.

누구든지 무관한 것에 무관심할 경우에 가장 좋은 삶을 살 수 있는 힘을 간직합니다. 무관심은 무관한 것 각각을 나누어 보든지 전체로 보든지 개의치 않습니다. 무관심은 무관한 것을 이해하려고 신경 쓰지도 않습니다. 우리가 판단하고 기억하는 것들 중에 우리에게 다가오지도 않고 아예 멈춰 있는 것이 있습니다. 우리 마음에 새길 필요가 없고 기억하지 않는다면 당장에 잊히는 것들입니다.(11권 16)

건강과 머리숱처럼 선악과 아무런 관련이 없는 것을 아우렐리우스는 스토아주의를 따라 '무관한 것'(아디아포론, ἀδιάφορον, indifferens)이라 했다. 진정으로 좋은 것이 미덕이며 진정으로 나쁜 것이 악덕인데, 그 외의 것들은 도덕적으로 중립적이다.

철학 훈련을 통해 무관함을 관찰하면 여기서 한 걸음 더 나아가 무관한 것들을 또다시 분류할 수 있다. 자연에 순응적인 것과 그렇지 않은 것인데, 예를 들어 건강은 자연에 순응적인 것이고 머리숱은 자연에 순응하는 것과 전혀 상관이 없다. 이런 방식으로 선악에 대한 무관함을 관찰하여 거기에 감정을 두지 않은 결과로 얻는 마음의 평온함이 무관심인 것이다.

> 미덕과 악덕 사이의 것들을 다듬어 단순함, 평온함, 무관함이라 하십시오.(7권 31)

아우렐리우스는 진통제나 약물로 평온함을 얻은 게 아니었다. 외부의 장애물들을 관찰하여 무관함을 밝히고 그것에 신경 쓰지 않았다. '무관한 것'에는 선도 악도 없다. 그것은 우리에게 해를 끼칠 수 없다. 다만 그렇게 생각하는 우리의 사고 작용일 뿐이다.

악이란 것은 대부분 마음의 잘못된 판단이기 때문에 그

일에 대해 무관함을 발견한다면 불안한 마음을 바꿀 수 있다. 철학 훈련을 통해 벌어지는 사건에 대해 '무관함'을 관찰할 수만 있다면 악을 당할지도 모른다는 걱정을 덜고 평온함을 얻을 것이다.

> 종종 철학으로 돌아가 쉼을 얻으십시오. 철학 때문에 당신은 궁전 생활을 버텨낼 만하고 궁전도 당신을 버텨낼 만할 것입니다. (6권 12)

마음이 불안하거나 동요되면 이후 진행될 선택이나 관리도 어려울 것이다. 하지만 무관함의 관찰을 통해 감정이 여과되어 평온함을 유지한다면 결단력과 절제력도 유감없이 발휘되어 우리의 비뚤어짐을 바로 잡아줄 것이다.

2. 선택 훈련

'새 일 벌이기'는 '헛일 버리기'다. 더 많은 '새 일 만들기'가 아니라 쓸데없는 일을 버리고 '남은 일만 집중하기'다. 그 남은 일을 선택하여 '중요하게 만들기'다. 우리는 매 순간 선택의 갈림길에서 갈등한다. 점심 식사를 나가서 할까? 시켜 먹을까? 아니면 직접 요리해 먹을까? 선택을 잘 하는 사람은 선택 기준을 정해놓고 자동적으로 반응하도록 한다. 반면 선택을 잘 못 하는 사람은 알맞은 기준이 없기 때문에 매번 뭘 선택할지 갈등하다가 힘을 다 써버린다. 아우렐리우스가 말하는 선택의 기준을 보자.

선택의 힘을 귀히 여기십시오. 그 힘이 당신을 안내하여 자연을 따르고 이성적인 동물의 규칙에 걸맞게 할 것입니다. 급하게 동의할 때에도 선택의 힘은 선택의 자유를 보장합니다. 또한 그것은 가족과 친밀히 지내고 다른 한편으로 신들을 따르게 합니다.(3권 9)

여기에 제시된 선택의 기준은 '자연에 순응할 것, 이성에 적합할 것, 자유를 보장할 것, 가족과 친밀할 것, 신들을 따를 것'이다. 선택 기준을 정해두고 선택을 반복하다 보면 자동적으로 선택할 가능성이 높아진다.

2.1. 선택의 '보류 조건'

우리는 자신이 가진 힘으로는 도저히 통제할 수 없는 한계 영역을 가진다. 아우렐리우스는 이런 영역을 보류시키고 통제할 수 있는 영역에만 집중하라고 한다. 선택을 할 때 조건을 걸어두면 훨씬 수월해진다.

특별히 이 힘은 주어진 사물을 그저 좋아하는 것이 아니라 먼저 보류 조건을 살펴 그 사물을 관리하는 방향으로 나아갑니다. (4권 1)

아무리 좋은 계획을 세워 실행에 옮기더라도 최종 결과는 상황에 따라서 바뀌는 경우가 있다. 이런 경우는 우리가 관리할 수 없는 영역이다. 이 영역을 스토아주의에서는 '보류 조건'(휘펙사이레시스, *ὑπεξαίρεσις*)이라고 하는데, 이 조건을 설정해 두면 선택 가능한 부분에만 집중할 수 있다.

이런 보류 조건의 예로는 라틴어 서신에서 볼 수 있는 'D.V.'(신의 뜻대로, 데오 볼렌테, Deo Volente)라든지 아랍어 인사인 '인샬라'를 들 수 있다. 예를 들어, 인간이 나이를 먹는다는 것은 자신이 통제할 수 없는 것이라 '데오 볼렌테' 또는 '인샬라'라고 해놓고 신경 쓰지 않으면 단순해진다. 어떻게 나이 먹을지에 대해서만 집중하면 된다. 신경 쓰지 않아도 될 일을 신에게 맡기거나 보류시키면 선택 가능한 영역에만 집중할 수 있다.

그러나 누군가가 힘을 사용하여 당신에게 저항한다

면, 괴로워 말고 보류 조건으로 받아들여 당신의 접근 방법을 바꿔 다른 덕으로 되돌려 주십시오.

무조건 하지 말라는 게 아니라 불가능한 일을 목표하지 말라는 점을 명심하십시오. 그러면 무엇을 해야 할까요? 가능성이 있는 시도 그 자체가 중요합니다.(6권 50)

이런 보류 조건을 구분하는 것은 올바른 선택을 위해서 반드시 거쳐야 한다. 키케로는 '궁수의 비유'를 들어 궁수가 선택할 수 있는 영역과 그렇지 않은 영역을 구분했다. 궁수의 훈련 과정 선택, 거리와 과녁의 상태를 고려한 화살의 선택, 활을 쏠 때 시위의 강도와 화살이 가리키는 방향 선택 등은 최선으로 집중할 영역이다.

하지만 이런 선택은 화살이 시위를 떠나는 순간까지만 이루어진다. 일단 화살이 활시위를 떠나면 궁수는 할 수 있는 게 아무것도 없다. 갑자기 바람이 급하게 불어 과녁을 빗나갈 수도 있다. 궁수는 활을 쏠 때까지 최선의 선택에 집중하고 그다음은 보류 조건으로 삼으면 모든 걱정을 내려놓게 된다.

하지만 보류 조건은 시도하지 못한 것에 대한 변명이나 체념이 되어서는 안 된다. 오히려 목표와 방향을 간략화해서 집중하려는 최선의 방법이다. "성취하지 못한다 해도 시도는 했"(6권 50)기에 그 결과를 기꺼이 수용해야 한다. 비록 원하지 않은 결과가 나와도 그것은 자신의 내부에서 시도한 선택이 아니라 선택과는 별개로 외부에서 발생한 것이다. 자신에게는 그 책임이 없기에 걱정할 필요가 전혀 없다.

　　오늘 나는 온갖 곤란에서 빠져나왔습니다. 아니, 오히려 온갖 곤란을 내던졌습니다. 걱정은 외부가 아니라 나의 내부에 있기 때문입니다.(9권 13)

보류 조건을 걸어두면 자신이 선택한 것에서 발생하는 내적 결과와 그 선택과는 별개로 나타난 외적 결과를 식별할 수 있다. 선택의 힘이 목표에 달성하지 못했을 때, 추측과 다른 그 결과가 만약 보류 조건 속에서 발생한 일이라면 그것에 대한 책임감이나 절망감도 줄일 수 있다.

보류 조건을 고려함은, 원하는 결과를 얻을 가능성을 높일 뿐만 아니라 잘못된 결과에 대한 불필요한 자책도 피할 수 있게 한다. 결과를 토대로 그것이 자신의 선택의 문제인지 보류 조건의 문제인지를 살피는 훈련이 필요하다.

　　지성과 이성은 본성에 의해 만들어지고 자신들이 선택하는 방식으로 온갖 장애를 뚫고 갈 수 있습니다.(10권 33)

2.2. 선택의 장애물

목적지를 향해 가는 길에는 방해가 있기 마련이다. 그런데 아우렐리우스는 방해가 목적을 이룰 수 있는 좋은 재료가 된다고 했다. 자신의 선택과 무관한 것을 인정하고, 바꿀 수 있는 것에만 집중한다면, 장애물도 목적을 이루는 좋은 도구로 만들 수 있기 때문이다.

무엇인가에 발목이 잡힌다 해도 지성을 사용해 그것들을 보류 조건으로 구분하고 방향을 바꾼다면, 내 동기와 성품은 방해받지 않을 것입니다. 거스르는 온갖 방해를 차단하고 방향을 틀어서 지성이 나아가려는 대상으로 향하십시오. 방해가 오히려 목표 수행에 도움이 되고, 길을 가로막는 장애물이 도리어 길을 여는 수단이 됩니다. (5권 20)

우리는 장애물이 없는 상태가 평온을 준다고 생각한다. 하지만 그렇지 않다. 장애물을 활용하면 오히려 길이 열린다. 아우렐리우스는 우리 삶의 목표는 모든 장애를 제거하는 게 아니며, 장애들 중에서도 보류 조건을 제거하고 통제할 수 있는 것만 잘 통제하면 그것은 오히려 목표를 이루는 수단이 된다고 한다. 이것은 마치 앞에 놓인 장애물을 불쏘시개로 활용하는 불꽃과 같다.

이는 마치 화염이 장애물에 맞닥뜨렸을 때 자기 앞에 있는 장애물을 제압하여 살라버리고 오히려 그것을 땔감으로 삼는 것과 같습니다. 물론 조그마한 불길은 장애물에 의해 꺼지지만, 크게 타오르는 불길은 그것들을 곧 집어삼켜 사르고 그로 인해 더 높이 치솟게 되지요.(4권 1)

선택을 잘 하는 사람에게 장애는 오히려 기회가 된다. 심지어 길에 놓인 돌멩이 하나하나가 새로운 가능성이 될 수도 있다. 자신에게 주어진 질병과 고통을 통해서도 번성할 수 있다. 그 이유는 "모든 장애물을 자신을 위한 재료로 삼고 그것을 자신이 추구해 나가는 것에 활용"(8권 35)하기 때문이다. 장애물을 오히려 활용할 수 있다는 자세가 목표 달성을 위해서 중요하다.

2.3. 선택의 자유

아우렐리우스에 의하면, 자유란 "노예처럼 결핍에 묶여 욕망에 비굴하게 휘둘리는 것"이 아니라 "가진 것들을 자유롭게 활용할 수 있는 것"(9권 40)이다. 선택을 위해서 자유가 필요함을 강조한다. 예를 들어, 다른 사람이 가진 명품가방이 갖고 싶어서 돈을 벌고 있다면 그 사람은 명품가방의 노예인 셈이다. 반면에 자유로운 사람은 그 가방을 갖고 싶은 욕망이 생겼을 때 무작정 그 욕망을 채우지 않고 우선 가진 것들을 활용할 수 있다.

자유란 흔히 'from의 자유'와 'to의 자유'로 구분된다. 아우렐리우스는 자유가 정염으로부터 자유롭고 선을 향해 자유로워야 한다고 말한다.

그러므로 정염에서 자유로운 지성은 성채와 같으니 이보다 더 강력한 요새는 사람에게 없습니다. (8권 48)

아우렐리우스는 날마다 성채 바깥쪽에서 벌어지는 전투를 보면서 그것보다 더 강력한 요새가 있다고 한다. 그것은 바로 "자유로운 지성"인데, 정염으로부터 해방되어야 그 지성이 발휘될 수 있다. 정염은 지성을 흐려지게 하고 선을 훼방하는 요소를 지니고 있다. 특히 성적 욕망이나 분노, 두려움 등에 휘말리면 이성적 행동을 못 하게 된다. 따라서 지성은 정염으로부터 자유로울 때 '강력한 요새'가 되어 그 사람이 흔들리지 않게 한다.

그런데 여기서 한 가지 주의할 점은, 정염으로부터 자유롭다고 해서 정염을 억압하라는 의미는 결코 아니라는 점이다. 정염 자체가 나쁜 것은 아니다. 칼로 장난하는 아기가 칼에 대한 두려움이 없다면 응급 상황이 발생할 것이고, 배고픔을 모르는 거식증 환자는 결국 영양실조에 걸려 생명의 위협을 받는다. 두려움이나 고통 자체가 인간을 해롭게 하지는 않지만, 그 정념에 사로잡히면 생각이 마비되어 올바른 선택을 할 수 없다.

정염의 노예가 되지 않고 그 정염을 바르게 선택하고 관리할 수 있는 자유가 있다면 자신에게 장애가 되었던 부정적인 정염의 요소들이 생산적인 재료가 될 것이다. 이제 정염에서 해방된 자유는 아무렇게나 여기저기를 방황하지 않고 목표를 지향한다. 선을 향해 용감하게 나아가게 된다.

추진력과 행동의 원리를 지니고 있으면 됩니다. 이 원리란 무엇인가요? 선악의 원리입니다. 선은 사람을 올바르고 신중하고 용감하고 자유롭게 하며, 악은 지금 말한 것에 반대됩니다.(8권 1)

갑작스레 감정적 반응을 일으킬 상황에서 이성적인 냉정함을 유지할 수 있는 이유는, 선을 향한 미덕의 길에서 벗어나지 않으려고 애쓰기 때문이다. 정염에 사로잡히는 것이 무엇이든 잘못된 행동을 낳는다. 정염으로부터의 자유는 선을 향함이며, 결국 '무관한 것'들도 선으로 끌고 들어가는 능동적인 자유를 행사한다. "이성이 없다면 당신은 노예"(11권 30)일 뿐이다.

"자유롭게 살 수 있는 것은 모두 당신의 힘에 달려"(7권 68) 있다. 지성을 자유롭게 훈련하여 올바르게 선택할 수 있는 힘, 추진력과 결단력으로 현실을 해결해 나간다.

3. 관리 훈련

철학 훈련을 통해 관찰력을 갖추고 선택 훈련을 통해 결단력을 갖췄다면, 이제 관리 훈련을 받을 차례다. 관리 훈련의 결국은 절제력이다. '관리' 또는 그 형용사에 해당하는 그리스어 '헤게모니코스(ἡγεμονικός)'는 '안내하다', '관리하다', '지배하다'를 뜻하는 '헤게모네우오(ἡγεμονεύω)'에서 파생됐다. 아우렐리우스는 '관리하는'이라는 단어에 '로고스(λόγος)'를 붙이거나 독립적으로 사용한다.

3.1. 관리하는 이성
관리력을 키운다면 어떤 장점이 있을까? 다음을 보자.

다른 누군가가 당신을 두렵게 하거나 고통스럽게 할
수 있다면 하도록 내버려두십시오. 관리하는 능력 자체가
그 방향으로 가지 않을 것이기 때문입니다.(7권 16)

인간이 지닌 관리하는 이성 안으로 들어가십시오. 그
러면 어떤 심판자들에게 겁을 먹는지, 그들이 어떤 심판
자들인지 알게 될 것입니다.(9권 18)

관리력은 선택 훈련에서 인용한 4권 1에서 보았듯이 "우
리 내면을 지배하는 힘은 (⋯⋯) 먼저 보류 조건을 살펴 그 사
물을 관리"할 수 있을 뿐만 아니라 타인이 나를 두려움이나 고
통으로 강제하지 못하게 한다.

우리는 어떤 업무가 주어졌을 때 보류 조건은 제쳐두면서
관리할 수 없는 것과 관리할 수 있는 것을 구분할 수 있다. 이
것만으로도 자신이 관리할 수 있는 영역이 단순해지고 업무를
처리할 구체적 과정을 계획할 수 있게 된다. 그러면 거의 빈틈
없이 그 과정을 진행할 수 있다.

그런데 위의 두 인용문에 따르면 관리력이 뛰어난 사람은
다른 사람이 자신에게 하는 요구가 무리한지 그렇지 않은지도
알 수 있다. 타인이 자신을 함부로 몰아붙이지 못하게 하는 힘
이 바로 관리력이다. 관리 훈련이 된 사람은 타인의 '가스라이

팅'에 절대 휘둘리지 않는다.

3.2. 관리의 대상

아우렐리우스는 관리의 대상으로 자기, 사물, 사람을 말한다.

> 당신 자신을 관리하는 이성, 만물을 관리하는 이성,
> 사람을 관리하는 이성을 향해 집중하십시오.(9권 22)

자기 관리는 기본적으로 자신의 건강을 개선하고 일정한 감정과 정서를 유지하는 데 도움을 준다. 그래서 "관리하는 이성은 본래 자신의 옳은 행동과 그로 인한 고요함에 만족"(7권 28)한다. 나아가 이성은 자신의 내면을 관리하면서 법칙을 발견하고 그 법칙을 따라 사물과 사람을 관리하는 데까지 이르게 된다.

특히 절제와 향유가 사물을 관리하는 원리가 된다. "만물이 너무 약해지면 아끼고 풍성하면 누리는 것처럼 절제와 향유"로 사물을 관리하는데, "불굴의 고귀한 영혼을 지닌 사람에게 향유와 절제의 양 측면이"(1권 16) 있다. 예를 들어 다이어트는 특히 비만 환자가 건강을 해칠 수 있을 때 음식물을 절제하도록 하고 영양부족 환자는 음식을 향유하게 한다. 다이어

트가 건강에 좋다고 두 환자에게 무작정 단식을 하게 한다면 그것은 관리를 못하는 것이다.

사물이 풍성할 때 향유하고 약해질 때 절제하지 못하면 그 사물은 장애 요소가 된다. 어떤 문제가 발생할 때마다 자신의 관리력을 보자. 업무를 진행하려는데 장애가 발생했다면 우연히 그렇게 되었다기보다는 보류 조건 이외의 것을 절제와 향유로 관리하지 못했기 때문이다.

절제를 위해서도 훈련해야 하지만 향유를 위해서도 훈련해야 한다. 절제와 향유의 관리는 사물의 필요와 새로움을 맛보는 데 도움을 준다. 절제는 과도함을 바꾸어 필요함이 되게 하는 반면 향유는 평범함을 바꾸어 새로움이 되게 한다.

그렇다면 사람 관리는 어떨까? 이성은 자신뿐만 아니라 자신이 속한 공적 영역의 사람들을 관리하도록 한다.

다음 두 가지 원리를 늘 적용해야 합니다. 첫째, 입법 능력이 있고 관리할 수 있는 상태에서 인간을 도우라고 이성이 권하는 것은 무엇이나 행하십시오. 둘째, 만약에 누군가 곁에서 당신이 공평을 지키고 사적인 생각에서 벗어나게 해준다면, 이때는 당신의 생각을 고치십시오. (4권 12)

아우렐리우스는 공평으로 관리하기 위해서 사람을 도와야 하는 경우 사적인 생각에서 벗어나라고 했다. 사람 관리는 주로 공적 관계에서 이루어져야지 사적으로 끝나서는 안 된다. 예를 들어 아동 학대에 관한 뉴스를 보면 그 아동을 동정하고 학대자에게 분노하는 등 사적인 울분으로 그칠 것이 아니라, 제도 개편 등의 공적 영역에서 도울 수 있어야 한다.

이것 외에도 사람 관계에 있어서 사적 영역과 공적 영역을 구분하는 부분이 있다.

동정이나 관심을 받기 위해서 불쌍한 사람처럼 일하지 마십시오. 공동체적 이성이 관리하는 대로 일하고 삼가십시오. (9권 12)

관리하는 이성이 부족한 사람은 업무 처리 과정이 빗나갈 때마다 상대방에게 동정이나 연민을 불러일으켜 자신의 실수를 모면하는 경우가 많다. 하지만 아우렐리우스는 관리력을 키워 공적 사안에 대해 사적인 이유가 핑곗거리가 되지 않게 할 것을 당부한다. 사람 관리란 사적 감정에 치우치지 않고 목적지에 이르게 하는 하나의 친절한 안내와 다름없다.

사람은 서로를 돕기 위해 태어났으니, 사람을 안내하

거나 인내하십시오. (8권 59)

사람들을 향한 나의 자세는 어떠한가요? 우리는 서
로를 위해서 태어났습니다. 다른 식으로 말한다면 마치
숫양이 양 떼를 이끌거나 황소가 소 떼를 이끄는 것과 같
이 서로를 인도하기 위해 태어났습니다. (11권 18)

3.3. 현재의 시간 관리

시간 관리는 일정 관리에 '할 일 목록'을 더 많이 보태는
것이 아니라 일의 경중을 따져 순서를 정해 처리하는 것이다.
한정된 시간에 일의 순서를 배치할 수 있는 능력은 최선의 결
과를 낳는다. 일의 순서를 짜는 것은 현재에 집중하여 관찰하
고 선택한 이후라야 가능하다.

늘 당신을 괴롭히는 것은 미래와 과거가 아니라, 현
재입니다. 하지만 만약 현재에 시한을 정한 후 내 앞에 닥
친 일이 감당할 수 있는 작은 일이라고 생각을 고쳐먹으
면 그것은 훨씬 더 가벼워질 수 있습니다. (8권 36)

우리가 관리할 수 있는 것은 현재밖에 없다. 지금이라는
현재를 관리하지 못하면 영원히 사라진다.

각자는 현재만을 살고 오직 현재만을 잃는다는 것을
잊지 마십시오. (12권 26)

과거와 미래는 우리의 관리 범위를 벗어난다. 우선 현재
만 받아들여서 각각의 시한을 정하면서 계획표를 짜야 한다.
그렇게 할 때 현재의 일은 대수롭지 않은 일이 된다. 예를 들어
계획을 세울 때 '하루에 한 시간씩 운동하기'처럼 너무 큰 계획
을 세우지 말고 '하루에 10분씩 팔굽혀펴기'처럼 구체적이고
작은 일정을 세우는 것이 좋다. 독서의 습관이 들지 않았다면
'매일 15분 책읽기'처럼 대수롭지 않은 작은 실천부터 계획하
면 좋다. 아우렐리우스는 "도덕의 완성은 매일매일을 마지막
날인 양 살아가되 흥분하지도 무신경하지도, 그렇다고 위선자
가 되지도 않는 것"(7권 69)이라고 한다.
　　이제 우리가 현재에 집중하지 못하는 이유를 살펴보자.

미래의 일을 걱정하지 마십시오. 걱정할 필요가 있을
때마다 현재에 정신을 차리면 당신은 이미 미래에 도착할
것이기 때문입니다. (7권 8)

바로 "미래에 대한 걱정" 때문이다. 미래에 대한 쓸데없는
걱정을 몰아내고 관리된 현재는 미래를 정신 차린 현재로 만

나게 한다. 부푼 가슴으로 미래에 대한 꿈만 꾸면 현재를 관리하며 맘껏 즐기지 못하고 불만을 품게 할 것이다.

아우렐리우스는 로마 최고의 황제였지만, 그의 통치 기간은 위기의 시대였다. 끝없는 재앙이 제국에 끊이지 않았고 이민족들이 영토를 침입했다. 그는 계속된 전쟁으로 고향을 떠나 집이 아닌 피비린내 나는 전쟁터에서 지냈다. 하지만 두려움과 불안 속에서도 그는 현재에 집중했다.

보십시오. 현재의 이 순간을 자신에게 선물로 주십시오.(8권 44)

현재 이 순간을 관리할 수만 있다면 그다음 순간도 관리할 수 있을 것이다.

3.4. 휴식 관리

현재 시간 관리를 비롯한 관리 훈련과 철학 훈련, 그리고 선택 훈련이 잘 진행되었다면, 여생을 즐겁게 보낼 수 있다.

내 다시 말하지만, 정염에 붙잡힌 것들과 미래와 과거의 일을 관리하는 이성으로부터 떼어낸다면, (……) 그리고 당신이 사는 삶, 즉 현재에만 마음을 쏟는다면, 당신

은 남은 생을 동요 없이 자신의 수호신께 즐거이 복종하며 지낼 것입니다. (12권 3)

각종 훈련을 하고 나면 반드시 휴식이 필요하다. 쉬지 않고 훈련만 계속하면 금방 지칠 뿐만 아니라 이후의 훈련도 오래 지속할 수 없다. 하지만 정도 이상으로 휴식에 빠지려는 유혹도 경계해야 한다.

"하지만 휴식도 필요해요." 당연합니다. 하지만 먹고 마시는 데에 정해진 때가 있듯 휴식에도 때가 있는 법입니다. 그런데 어떤 행동도 경계를 넘어서지 말라는 당신은 정작 필요 이상으로 쉬고 있군요. 사실 당신은 그 이상 일할 능력이 없는 것입니다. (5권 1)

훈련만 하게 되면 에너지 소모가 크기 때문에 관찰력이 흐려지고 엉뚱한 곳으로 방향을 잡을 뿐만 아니라 그릇된 결정을 하게 된다. 그래서 휴식이 필요하지만 이것이 일할 능력이 없는 것에 대한 핑계가 되어서는 안 될 것이다. 일과 휴식의 균형은 일과 각자의 능력에 따라 다르다.
예를 들어, 근력 훈련의 경우 일주일 단위로 휴식할지, 2분할 하여 휴식할지, 아니면 3분할 하여 휴식할지에 따라 훈련의 효과뿐 아니라 회복력도 달라진다. 단기간에 초인적인 능력을 요하는 훈련보다는 장기간 꾸준히 지속할 수 있도록 휴식 관리를 하는 훈련이 더 나은 결과를 낸다. 오아시스에서 휴식을 취할 수 있다면 사막을 건너기가 그만큼 더 쉬운 것처럼, 자신에게 맞는 휴식이 삶의 방향에서 벗어나지 않게 해준다.

3.5. 죽음 관리와 운명의 사랑

> 죽음이란 감각의 반응으로부터, 그뿐만 아니라 우리를 이끄는 충동과 복잡한 생각, 육신의 노고로부터 쉬는 것입니다.(6권 28)

휴식 중에서 가장 완전한 것이 죽음이다. 죽음은 더 이상 감각, 충동, 사고, 노고를 위해 애쓰지 않아도 되지만, 죽음을 맞이해야 할 경우가 되면 "인생의 덧없음, 과거와 미래로 흐르는 시간의 무한함, 모든 물질의 연약함"(12권 7)을 실감한다.

특히 이 책에는 죽음에 관련된 성찰이 많기 때문에 아우렐리우스가 평소에 일찍 죽음을 맞이할 것이라고 예감한 듯한 인상을 받는다. 그렇지만 죽음에 대한 아우렐리우스의 태도는 힘차고 당당하다. 이런 힘은 그가 죽음 관리를 철저히 했을 뿐만 아니라 다음과 같은 운명관이 있었기 때문이다.

아우렐리우스는 인생을 연극으로, 자신을 그 연극의 배우로 본다. "모든 인생 연극은 우리가 보는 연극과 똑같은데 배역만 다"(10권 27)를 뿐이다. 이 경우 좋은 배우는 맡은 배역을 기꺼이 받아들이면서 대본에 충실한 연기를 펼친다. 여기서 배역이란 운명에 대한 은유로, 배역이 자신에게 맡겨지듯 운명이 정해짐에 대한 표현이다.

연극은 계속되지만 배우가 자기 배역을 마치고 떠나듯이 자신의 운명이 정해져 있습니다. 운명은 억지로 자신의 생명을 단축시키지 않습니다.(3권 8)

자신의 운명이 길든지 짧든지 주어진 그대로 만족하면서 억지로 생명을 단축시키려 하지도 않는다. "자신에게 닥친 일과 온갖 운명을 받아들이고", "각자에게 부여된 운명의 몫이 각자를 이끌어"(3권 4) 간다. 그 결과 자신에게 주어진 운명을 바꿀 수는 없지만 운명에 대한 태도를 바꾼다. 그렇게 바뀐 삶의 태도가 "오로지 자신에게 생긴 일과 운명의 실타래만 사랑"(7권 57)한다는 표현에서 알 수 있는 '운명의 사랑'(아모르 파티, amor fati)이다. 이것은 결코 "억지로 자신의 생명을 단축시키지 않"는다.

운명의 사랑은 주체적으로 자신의 운명을 따른다. 여기서 나타나는 주체적 행위가 운명이 정해준 환경과 사람들을 진심으로 사랑하는 행위다. 다음을 보자.

당신의 운명이 당신에게 할당한 환경과 어우러져 보십시오. 운명이 정해준 사람들을 사랑하되 정말 진심으로 사랑하십시오. (6권 39)

운명은 수동적 체념이 아닌 적극적 사랑이다. 그 사랑을 하려면 운명을 바꾸려 애쓰지 말고 자신을 바꿔야 한다. 분노나 원망, 슬픔과 같은 정염에 사로잡히지 말고, 관리하는 이성을 높여 운명이 우리에게 허락한 사물과 사람을 진심으로 사랑하는 게 운명에 대한 아우렐리우스의 해석이었다.

운명에 대한 최선의 사랑을 했던 아우렐리우스는 죽음을 두려워하지 않고 유언과도 같은 다음의 고백으로 이 책의 마지막을 장식했다.

"나는 5막이 아니라 3막만을 마쳤소." 근사한 표현입니다. 당신의 연극은 3막이 끝입니다. 5막으로 된 연극은 이전에 기획한 자가 구성했고, 3막은 지금 막을 내리는 자가 결정하기 때문입니다. 당신은 5막이든 3막이든 어느 쪽에도 책임이 없으니 즐거운 마음으로 떠나십시오. 당신

을 떠나게 하는 자도 즐거운 마음일 것입니다. (12권 36)

3막의 짧은 운명에 대한 사랑은 주어진 모든 것을 관리하게 만든다. 그 자신과 사물, 사람에 대한 관리는 철저하게 절제력을 지녀야만 가능하다. 만약 절제력이 없다면 거기서 발생되는 쾌락과 고통이 자신을 더 힘들게 할 것이다. 아우렐리우스는 관리하는 이성을 사용했고 절제함으로써 얻는 즐거움에 독자들도 익숙해지기를 원했다.

훈련은 반복되어야 한다

우리를 바꾸고 싶은가? 그렇다면 나 자신부터 시작해야 한다. 새로운 시작은 자신에게 익숙한 철학과 선택, 그리고 관리가 있어야 가능하다. 관찰력, 결단력, 절제력은 반복된 철학, 선택, 관리 훈련으로 습관화될 수 있다. 그렇지 않다면 그릇된 습관에 길들여질 뿐이다. 습관은 전염력이 강하다. 알코올 중독, 니코틴 중독, 약물 중독, 쇼핑 중독, 연애 중독 등 한 번 길들여지면 그 습관에서 빠져나오기가 쉽지 않다.

어떤 방식으로 인생을 훈련하면서 살아야 할까? 첫째, 당신은 이제 관찰해야 한다. 흔들림 없는 목표를 분별해야 한다. 둘째, 당신은 이제 선택해야 한다. 바꿀 수 없는 것을 수용하고 바꿀 수 있는 것을 단순화하여 결단해야 한다. 셋째, 당신은 이제 관리해야 한다. 약한 것을 절제하고 강한 것을 향유해야 한다.

하지만 많은 사람이 새로운 시작에 실패하고, 시작하더라도 계획만 할 뿐 힘을 갖지 못했다. 훈련 없이는 결코 갖지 못할 실천의 힘, 그 힘을 키우기 위해 우리는 훈련을 거듭해야 한다. 행동하지 않는 지혜는 소모적이고, 지혜 없는 행동은 맹목적일 뿐이다.

이 책에 나타나는 사상은 너무나 다양해서 역자에겐 일목요연한 간략화가 절실했다. 아우렐리우스의 문장은 뜻이 모호할 정도로 간결한 부분이 많고 문법을 비껴간 파격적인 부분도 많았다. 여러 주제에 대해 상상력을 과잉으로 도발하는 듯한 비유와 은유도 풍부했다. 하지만 그가 사용한 인용문이나 명언들을 통해 각 부분들이 무엇을 의미하는지를 '철학, 선택, 관리'라는 주제를 염두에 두고 그려볼 수 있다. 관점에 따라 또 다른 해석도 가능할 것이다.

번역 작업을 하면서 자간과 행간에서 읽어낸 아우렐리우스의 정서는 전반적으로 침묵과 절개, 그리고 왠지 모를 슬픔 사이에서 오는 우울이었다. 조그마한 유머라도 있기를 바라며 아쉬워했던 역자는 다음의 문장에서 잠시 웃을 수 있었다. "그들은 서로 업신여기면서도 서로 아첨하고 서로 뛰어나기를 원하면서도 서로 굽실댑니다."(11권 14) 황제도 자신에게 아부하는 간신배들이 누구인지 눈치챘던 모양이다.

아우렐리우스는 주장한다. 아무리 보잘것없는 배역이라도 인생 기술을 익힌다면 보다 더 나은 삶이 될 것이라고. 어쩌면 그 좋은 삶에 저들도 초대됐을지 모른다. 그렇다면 언제까지 훈련은 반복되어야 할까? "운명이 정해준 사람들을 사랑하되 정말 진심으로 사랑"(6권 39)하기까지. 이 책을 보면서 어떤 꿈을 꾸는가? 혹시 새로운 시작을 원한다면, 자! "당신 자신에서부터 시작하고 우선 당신 자신부터 검토하"(10권 37)자.

김동훈

더 새로워지는 1월에

명상록

1판 1쇄 펴냄 2023년 2월 5일
1판 4쇄 펴냄 2024년 12월 16일

지은이 마르쿠스 아우렐리우스
옮긴이 김동훈
발행인 박근섭, 박상준
펴낸곳 (주)민음사

출판등록 1966. 5. 19 (제16-490호)
서울특별시 강남구 도산대로 1길 62 (신사동)
강남출판문화센터 5층 (우편번호 06027)
대표전화 02-515-2000
팩시밀리 02-515-2007
www.minumsa.com

978-89-374-7026-4 (94800)
978-89-374-7020-2 (세트)

잘못 만들어진 책은 구입처에서 교환해 드립니다.